Sabrina Galasso • Giuliana

Italiano in cinque minuti

Esercizi rapidi sulla grammatica e sul lessico

volume 1

ALMA Edizioni - Firenze

Direzione editoriale: **Ciro Massimo Naddeo**

Redazione: **Carlo Guastalla, Euridice Orlandino** e **Chiara Sandri**

Progetto grafico e impaginazione: **Andrea Caponecchia**

Progetto copertina: **Sergio Segoloni**

Disegno Copertina: **Thelma Alvarez-Lobos** e **Sergio Segoloni**

Illustrazioni: **Sebastiano Onano**

Le autrici ringraziano la redazione di Alma Edizioni - in particolare
Chiara - gli studenti Erasmus dei corsi di italiano dell'Università
La Sapienza, e Aurora, Carmen, Mariana e Mauro.

Printed in Italy
ISBN: 978-88-6182-078-4

© **2008 Alma Edizioni**
Ultima ristampa: febbraio 2016

Alma Edizioni
Viale dei Cadorna, 44
50129 Firenze
tel. +39 055476644
fax +39 055473531
alma@almaedizioni.it
www.almaedizioni.it

Indice

1 Nomi

1 Completa il testo con le parole della lista, come nell'esempio. Poi copia in ordine le lettere negli spazi sotto e scopri il nome di una stazione ferroviaria.

stazione (R)   indirizzi (T)   sito (I)   treno (N)   sportelli (I)   informazioni (E)

centro (O)   biglietti (M)   mezzi (M)   piazza (A)   piano (R)

Una stazione

Questa _stazione (R)_ ferroviaria si trova nel
_____ della città. È raggiungibile con due linee
metropolitane, A e B, e con i _____ pubblici
urbani: gli autobus e i tram.

Nella _____ davanti alla stazione si trova un
centro informativo per turisti dove si possono avere gli
_____ dei *Bed & Breakfast* e degli alberghi e
richiedere _____ sulla città.

All'interno dell'edificio e al _____ inferiore si
trovano dei negozi e un vero e proprio centro
commerciale.

I _____ si possono acquistare agli _____, ai distributori automatici e su
internet con la carta di credito. Prima di salire sul _____ si timbrano nelle
macchinette all'inizio dei binari.

Per informazioni sugli orari si può consultare il _____: **www.trenitalia.it**.

La stazione è ___ ___ ___ ___   ___ ___ ___ ___ ___ ___ ___.

2 Scrivi il plurale *(P)* o il singolare *(S)* delle parole, come nell'esempio.

città *(S)*	_città_ - *(P)*		interno - ___	_____	- ___
binari - *(P)*	_binario_ - *(S)*		edificio - ___	_____	- ___
mezzi - ___	_____ - ___		negozi - ___	_____	- ___
alberghi - ___	_____ - ___		orari - ___	_____	- ___
tram - ___	_____ - ___		autobus - ___	_____	- ___
turisti - ___	_____ - ___		inizio - ___	_____	- ___
macchinette - ___	_____ - ___		linee - ___	_____	- ___

3 Completa le frasi con le parole opportune. Poi scrivile al plurale nel cruciverba, come nell'esempio.

Orizzontali →

2. L'uomo più importante in una città è il _____.

7. Quando due persone si conoscono si danno la __*mano*__.

8. Chi cucina in un ristorante è un _____.

9. Polifemo aveva un solo _____.

10. In una piazza si può trovare una _____ da cui esce acqua.

15. Nelle favole per bambini ci sono spesso un _____ e una regina.

16. Per prendere i soldi vado in _____.

18. Per guardare i film vado al _____ .

19. Quando si va al ristorante, come prima cosa, si ordina una _____ di acqua o di vino.

Verticali ↓

1. Al mare si gioca con la sabbia sulla _____.

3. Quando ho bisogno di un consiglio, telefono ad un _____.

4. La margherita è un _____ bianco e giallo.

5. Per andare in _____ o in motorino è obbligatorio il casco.

6. Quando si va a cena a _____ di amici, di solito si porta un dolce, del vino o dei fiori.

10. Per comprare le medicine vado in _____.

11. Ogni macchina ha la sua _____ con numeri e lettere.

12. Per portare la macchina dalla Puglia alla Sicilia serve la _____.

13. Lo zio è il _____ del papà.

14. Per far vedere i muscoli si piega il _____.

17. Quando piove prendo l' _____ per andare al lavoro e incontro molto traffico.

4 Scegli le frasi grammaticalmente corrette e scrivi la lettera corrispondente nello spazio sotto, come nell'esempio. Scoprirai qual è la città dove è nata la pizza.

Informazioni su alcune località italiane

1. *A Venezia si svolge il festival del **cinema**.* N

2. *A Milano è nato un famoso **dolci** di Natale: il Panettone.* I

3. A Genova c'è un **acquario** molto grande. A

4. Viareggio è una **città** famosa per il carnevale. P

5. Sul Ponte Vecchio a Firenze ci sono molti **negozio** di orafi. S

6. A Lecce ci sono delle **chiesa** barocche molto interessanti. A

7. I **gelato** della Sicilia sono particolarmente gustosi. T

8. La torre pendente di Pisa attira molti **turista**. E

9. Il mare della Sardegna è famoso per la sua bellezza. O

10. L'Auditorium di Roma è uno dei **centri** culturali della città. L

11. Sul **laghi** di Garda c'è Gardaland: un centro di attrazione per bambini. L

12. Sulle Dolomiti ci sono delle località sciistiche molto famose. I

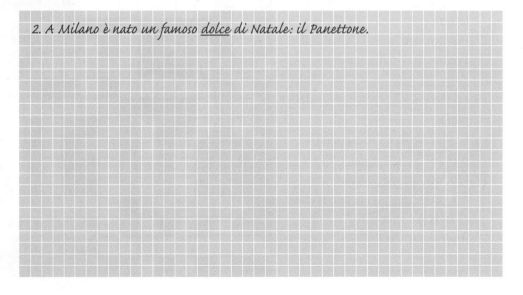

La città è *N* __ __ __ __ __.

5 Adesso riscrivi le frasi sbagliate alla forma corretta, come nell'esempio.

2. A Milano è nato un famoso <u>dolce</u> di Natale: il Panettone.

1 Completa i dialoghi con le espressioni della lista.

> piacere   buon appetito   buona giornata   buon compleanno
>
> buon viaggio   che fortuna   prego   in bocca al lupo   condoglianze
>
> auguri   buona serata   congratulazioni

1. ■ Oggi faccio 18 anni.
   ● Allora _____.
2. ■ Domani ho il mio ultimo esame prima della tesi.
   ● _____.
3. ■ Ecco, è arrivato a tavola anche Gianluca, possiamo cominciare.
   ● Bene, allora _____.
4. ■ Tutto è in macchina, siamo pronti per partire.
   ● _____.
5. ■ Ho vinto il Leone d'oro come miglior attore!
   ● _____.
6. ■ Le presento il signor Francesco Rossi.
   ● _____, Angelo Benedetti.
7. ■ Ciao amore, ci vediamo stasera.
   ● _____ tesoro.
8. ■ Ieri è nato Francesco!
   ● _____.
9. ■ Grazie!
   ● _____.
10. ■ Devo andare al funerale di un parente.
    ● _____.
11. ■ Abbiamo vinto un viaggio in Sardegna!
    ● _____!
12. ■ Devo andare, alle nove ho appuntamento con Letizia a teatro.
    ● Allora _____!

2 Collega le frasi di sinistra con quelle di destra, come nell'esempio.

1. *Posso entrare?*
2. Come va?
3. Signora, vuole altro?
4. Mi telefoni appena rientri a casa?
5. E Giovanna, quando arriva?
6. Fino a quando resti in ufficio oggi?

a. No, grazie, **basta così**.
b. *Si accomodi*.
c. **Almeno** fino alle sette.
d. **Da un momento all'altro**, credo.
e. **Senz'altro**, ci sentiamo più tardi.
f. **Non c'è male**, grazie.

1 *b* - 2 ___ - 3 ___ - 4 ___ - 5 ___ - 6 ___

Grammatica

1 Correggi gli articoli sbagliati e scrivili insieme al nome negli spazi sotto, come nell'esempio. Scoprirai le caratteristiche della Sicilia.

la neve	il cielo	*la mare*	i parchi
il Colosseo	il arte	i fiumi	i laghi
la danza	i boschi	lo sole	l'acqua
i grattacieli	i lupi	i giardini	le limoni
le minestre	il latte	il Etna	le mele
la pizza	l'arance	la cioccolata	il pane
i pesce	la mamma	i funghi	le case
le fragole	i cavalli	l'albero	il dolci
i ponti	l'opera	il storia	le autostrade
le chiese	i formaggi	il vino	il archeologia

il mare _____ _____ _____

_____ _____ _____ _____

2 Completa con l'articolo determinativo e cerca in ogni riga l'intruso. Attenzione: in due casi sono possibili due articoli. Poi inserisci le categorie della lista nell'ultima colonna, come nell'esempio.

sport città **campagna** mare **famiglia** montagna vacanze animali deserto

_il_ nuoto	_lo_ sci	_la_ danza	_la_ palla a volo	_il_ calcio	_la_ ~~ragazza~~	*sport*
___ palazzi	___ chiese	___ strade	___ mani	___ stop	___ teatri	_____
___ fattoria	___ mucca	___ frutta	___ pecora	___ quaderno	___ contadino	_____
___ albero	___ fiume	___ fiore	___ neve	___ telefono	___ prato	_____
___ turista	___ agenzia di viaggi	___ lavoro	___ albergo	___ museo	___ monumento	_____
___ sorella	___ sposo	___ zio	___ nonna	___ stanza	___ papà	_____
___ spiaggia	___ sole	___ onde	___ barca	___ zucchero	___ sabbia	_____
___ cane	___ gatto	___ cavallo	___ tavolo	___ maiale	___ uccello	_____
___ sabbia	___ oasi	___ palma	___ caldo	___ vento	___ medico	_____

3 Completa il dialogo con gli articoli indeterminativi singolari e plurali.

Una strana richiesta di affitto

Valeria: Buongiorno, volevo _____ informazioni per l'annuncio sul giornale.

Agente immobiliare: Sì, quale?

Valeria: Ho letto _____ annuncio per _____ appartamento vicino al mare.

Agente immobiliare: Ah, sì, quale Le interessava?

Valeria: Guardi, ce n'è uno in cui si parla di una villa con _____ camere grandi e _____ giardino di 1000 metri.

Agente immobiliare: Sì, quella in Calabria? A Tropea?

Valeria: Sì, sì. Sa, ho _____ animali e cerco _____ camere grandi, così stiamo tutti comodi.

Agente immobiliare: Ma quante persone siete?

Valeria: Come persone siamo tre. Poi ci sarebbero _____ animali.

Agente immobiliare: Animali?

Valeria: Sì, animali.

Agente immobiliare: Mi scusi, ma che genere di animali?

Valeria: Animali da circo.

Agente immobiliare: Animali da circo?

Valeria: Sì, animali per fare _____ spettacoli al circo.

Agente immobiliare: Ma… Veramente non so se il proprietario vuole affittare la villa a _____ animali da circo.

Valeria: No, ma guardi che nella villa ci sarò anche io, mia mamma e mio papà. Gli animali non vengono da soli!

Agente immobiliare: Sì, lo spero bene, ma devo parlare con i proprietari e Le faccio sapere. Ma, mi scusi, che animali avete?

Valeria: _____ pappagallo, _____ scimmie, _____ tigre, _____ leoni, _____ elefante, _____ cani, _____ gatti e altri.

Agente immobiliare: Mi scusi, ma tutti questi animali vanno nella villa?

Valeria: Ma noo! Cosa dice?! Vengono con noi solo le scimmie, il pappagallo, i gatti e i cani.

Agente immobiliare: Ah, allora, chiederò al proprietario se la villa può essere affittata ad animali da circo. Mi lasci _____ Suo numero di telefono e La richiamerò appena possibile.

4 Scrivi gli articoli determinativi *(D)* e indeterminativi *(I)* singolari e plurali, come nell'esempio.

articoli singolari	
D	**I**

articoli plurali	
D	**I**

1. _il_ _un_ cane   _i_ _dei_ cani
2. _____ _____ leone   _____ _____ leoni
3. _____ _____ giraffa   _____ _____ giraffe
4. _____ _____ oca   _____ _____ oche
5. _____ _____ asino   _____ _____ asini
6. _____ _____ pappagallo   _____ _____ pappagalli
7. _____ _____ orso   _____ _____ orsi
8. _____ _____ elefantessa   _____ _____ elefantesse
9. _____ _____ uccello   _____ _____ uccelli

5 Scegli l'articolo corretto.

Lo zoosafari di Fasano

A Fasano, in Puglia, c'è **uno/lo** Zoosafari molto grande. Ha circa 1.700 animali ed **una/la** superficie di 140 ettari. **Degli/Gli** animali vivono in assoluta libertà in **un/l'**ampio spazio naturale, dove possono avvicinarsi al pubblico solo se vogliono.
Ecco alcune curiosità:
Nello zoo c'è **un/il** delfinario di oltre 3.000 metri quadrati, con **una/la** vasca esterna molto grande per i delfini grandi e **una/la** vasca interna più piccola per i delfini piccoli. Per riempire **le/delle** due vasche servono più di tre milioni di litri d'acqua!
Il/Un parco ospita il più grande gruppo di **una/la** rara specie di orsi degli altipiani del Tibet.
A Fasano c'è **il/un** gruppo di quaranta leoni di tutte le età. È **il/un** nucleo di leoni più importante in tutta Europa. I leoni hanno **un'/l'**area verde di circa 20.000 metri quadrati di superficie.
I/Dei maschi di elefante non si trovano di solito nei parchi perché sono inaffidabili, ma a Fasano **un/l'** elefante maschio c'è: **l'/un'** unico maschio di elefante africano presente in Italia.
A Fasano vive **un/il** branco di oltre quindici giraffe, fra maschi, femmine e piccoli. **Il/Un** maschio più alto misura sei metri di altezza!
Il/Un parco ospita **un/il** grande gruppo di topi giganti, che vengono dal Brasile; si chiamano i "capibara" e pesano anche cinquanta chili. Non è poco per **un/il** "topolino"!
In questo parco ci sono **gli/degli** unici due gorilla presenti in Italia: due maschi adulti. Sono in corso trattative per permettere loro di farsi **una/la** famiglia con eventuali gorilla femmine disponibili al "matrimonio"!

da www.zoosafari.it

Lessico

1 **Risolvi gli anagrammi e trova i nomi degli animali. Poi collega le espressioni alle definizioni corrette, come nell'esempio.**

1. Essere un *(so-ro-ma)* ___somaro___.

2. Essere *(ne-ca)* _____ e *(to-ga-t)* _____.

3. Non sentire volare una *(mo-a-sc)* _____.

4. Essere un *(to-io-a-vvol)* _____.

5. Essere sano come un *(sc-pe-e)* _____.

6. Fare una vita da *(ni-ca)* _____.

7. Essere un *(ce-pe-s)* _____ fuor d'acqua.

8. Essere una *(mo-a-sc)* _____ bianca.

9. Essere una *(l -vo-pe)* _____.

10. Essere un' *(o-a-c)* _____.

a. Essere una persona particolare.

b. Stare molto bene in salute.

c. Essere una donna superficiale.

d. Cercare di ottenere vantaggi dalle sfortune degli altri.

e. Essere molto furbi.

f. Non andare d'accordo.

g. *Non essere un bravo studente.*

h. Avere una vita molto difficile.

i. Non essere al posto giusto.

l. Sentire un silenzio assoluto.

1 _g_ - 2 ____ - 3 ____ - 4 ____ - 5 ____ - 6 ____ - 7 ____ - 8 ____ - 9 ____ - 10 ____

2 **Scegli l'espressione corretta.**

1. Guarda, non possiamo metterli insieme nella squadra, **sono mosche bianche/sono cane e gatto**, litigano sempre!

2. Ormai gli artigiani bravi **sono cane e gatto/sono mosche bianche**!

3. Ma Ugo **è un somaro/è una volpe**: va male in tutte le materie, anche in ginnastica!

4. Giacomo **è stato una volpe/è stato un somaro**: ha comprato la casa quando costava poco e la rivende adesso che i prezzi sono altissimi!

5. **È stato un avvoltoio/È stato un pesce fuor d'acqua**: ha aspettato il fallimento dell'azienda per poterla prendere per pochi soldi!

6. Non conoscevo nessuno a quella cena, **ero un avvoltoio/ero un pesce fuor d'acqua**.

7. Il dottore ha detto che **sono sano come un pesce/faccio una vita da cani**, ho solo un po' di tosse.

8. Non ce la faccio più, **sono sana come un pesce/faccio una vita da cani**, lavoro dalle 8 della mattina alle 9 di sera, a volte anche la domenica!

9. L'insegnante di italiano è molto brava: quando c'è la sua lezione **è un'oca/non si sente volare una mosca**.

10. L'ho sentita parlare molte volte, dice delle cose stupide, **è un'oca/non sente volare una mosca**!

3 Presente dei verbi regolari

1 Leggi l'intervista al critico musicale Felice Liperi e completa i verbi, come nell'esempio.

La musica italiana

1. *Quando e dove inizia in Italia la canzone d'autore e chi sono i cantautori?*

Alla fine degli anni Cinquanta a Milano **nasc*ono*** l'industria discografica e la canzone d'autore con Sergio Endrigo, Giorgio Gaber, Enzo Janacci. Contemporaneamente, a Genova, **nasc____** la scuola genovese con Fabrizio De André, Gino Paoli e Luigi Tenco. Tutti questi musicisti sono cantautori, cioè **scriv____** e **cant____** le loro canzoni.

2. *Cosa succede negli anni Sessanta?*

Negli anni Sessanta **accad____** due fenomeni: l'arrivo dall'estero del rock'n'roll e la nascita di due movimenti molto diversi, che **divid____** in due la musica leggera italiana. Da una parte, i cantautori **esprim____** il bisogno di impegno in canzoni raffinate e complicate, dall'altra molti cantanti **sent____** invece la necessità di testi più semplici e di musica di facile ascolto.

3. *E negli anni Ottanta e Novanta?*

Durante gli anni Ottanta-Novanta tecnici del suono e arrangiatori **scopr____** l'importanza del "suono" giusto che si produce negli studi di registrazione e che **serv____** per avere successo con il pubblico e per arrivare primi nelle classifiche. Così la canzone italiana degli anni Novanta **entr____** nella musica pop internazionale con fenomeni come Zucchero ed Eros Ramazzotti.

4. *E come cambiano le case discografiche?*

Alla fine degli anni Novanta le case discografiche **decid____** che è importante solo il marketing: **elabor____** il look del cantante, il comportamento, il linguaggio e **scelg____** il pubblico a cui vogliono vendere la musica. Insomma **mostr____** più attenzione a "come" lanciare un brano rispetto a "quale" brano lanciare. Il mercato **cont____** più della musica di qualità.

5. *Oggi c'è qualche possibilità di fare musica alternativa alla musica commerciale?*

Sì, oggi **assist____** alla nascita di case discografiche indipendenti che **offr____** musica alternativa come il pop-etnico degli Almamegretta e degli Agricantus, la musica elettronica dei Subsonica e la musica pop di alcuni neocantautori come Carmen Consoli, Caparezza e Daniele Silvestri.

Liberamente adattato da Felice Liperi,
Storia della canzone italiana, Rai Eri, 1999

2 Completa la tabella con il presente indicativo dei verbi.

	Leggere	Finire	Parlare	Dormire	Capire	Vendere	Offrire
voi							
noi						*vendiamo*	
lui/lei		*finisce*		*dorme*			
tu			*parli*				
io	*leggo*				*capisco*		
loro							*offrono*

3 Completa il testo con i verbi della lista al presente indicativo. I numeri tra parentesi ti suggeriscono due possibilità: scegli quella corretta per ogni verbo, come nell'esempio.

> *sembrare / suonare (1 e 8)*
>
> *rappresentare / prendere (3 e 5)*
>
> *volare / vendere (7 e 15)*
>
> *continuare / pubblicare (11 e 16)*
>
> *scrivere / partecipare (2 e 9)*
>
> *scrivere / nascere (4 e 6)*
>
> *tornare / colpire (10 e 12)*
>
> *vincere / crescere (13 e 14)*

Negramaro: dal garage di casa al successo

Storia di uno dei gruppi italiani più amati dai giovani

I Negramaro sono un gruppo musicale formato da ragazzi che hanno poco più di vent'anni. Sono romantici e sensibili anche se [1.] *sembrano* aggressivi e duri. I giornali [2.]_____ di loro che sono elettrici come le loro chitarre e pieni di profumi come il vino del Salento da cui [3.](loro) _____ il nome.

[4.]_____ canzoni in italiano e [5.]_____ la voce malinconica e rabbiosa dell'Italia dei ventenni impegnati.

Il progetto dei Negramaro [6.]_____ a Copertino, un paese della Puglia che ha come simbolo un santo che [7.]_____.

All'inizio, i sei ragazzi [8.] *suonano* nel garage dei genitori, poi [9.]_____ a molti festival e [10.]_____ il pubblico e la critica per la loro capacità comunicativa. Nel 2003 [11.]_____ il loro primo album: *Negramaro*. Nel 2004 [12.]_____ in sala di incisione con il cd *000577*.

Da allora [13.]_____ velocemente: [14.]_____ festival e premi per le canzoni, e [15.]_____ molto ogni volta che esce un nuovo cd o un videoclip. Questi ragazzi sono un fenomeno tutto italiano che [16.]_____ ad avere sempre maggior successo con il pubblico giovane!

da www.radioitalia.it

Lessico

1 Associa gli aggettivi della lista ai nomi corrispondenti. Attenzione al maschile / femminile. Alcuni aggettivi si usano per più nomi.

alto   bello   brutto   caldo   calmo   fitto   forte

grosso   leggero   mosso   nuvoloso   piatto   sereno   sottile

mare	*cielo*	*tempo*	*vento*	*pioggia*	*neve*

2 Completa le frasi con gli aggettivi della lista. Attenzione al maschile / femminile.

alto   brutto   caldo   forte

grosso   piatto   sereno   sottile

1. Piove, ma è una pioggia _____, vedrai che fra poco esce il sole. Secondo me possiamo andare senza ombrello.

2. Venerdì c'è stato un vento così _____ che ha fatto cadere l'albero in giardino.

3. Hai sentito le previsioni del tempo? Domani è _____, non è il caso che tu vada in campagna.

4. Stamattina sono andato in spiaggia prestissimo. Il mare era _____, sembrava uno specchio! L'acqua pulitissima… magnifico!

5. Guarda che bel paesaggio… Quando il cielo è così _____ si vede anche l'Isola del Giglio!

6. Siamo andati in barca, ma c'era il mare _____, siamo dovuti rientrare quasi subito.

7. Che bella Venezia imbiancata! Stanotte è scesa veramente tanta neve. È così _____ che bisogna uscire con gli scarponi.

8. Quest'estate in Sicilia abbiamo avuto una settimana di scirocco. Quando il vento è così _____ non riesci a respirare e ti sembra di soffocare.

1 Completa con il verbo *essere* al presente indicativo e unisci le frasi di sinistra con quelle di destra, come nell'esempio.

1. *Gli zii __sono__ sulle Dolomiti*
2. Ti sei accorto che Milano _____ una delle città
3. (Noi) _____ al lago Maggiore
4. Sento dall'accento che (tu) _____ del sud,
5. (Io) _____ un pendolare: tutti i giorni vado al lavoro
6. (Voi) _____ gli studenti di architettura
7. Andrea _____ a Firenze per un paio di giorni
8. John e Susy _____ curiosi di assaggiare la cucina italiana,

a. per il matrimonio di sua sorella.
b. che hanno prenotato la visita al Palazzo Ducale di Urbino?
c. per fare un corso di barca a vela.
d. in treno da Gallarate a Milano.
e. più inquinate?
f. *perché i bambini hanno bisogno di aria di montagna.*
g. ma di quale città precisamente?
h. perché ne hanno sentito tanto parlare.

1 _f_ - 2 ___ - 3 ___ - 4 ___ - 5 ___ - 6 ___ - 7 ___ - 8 ___

2 Completa le frasi con il verbo *avere* al presente indicativo e indovina che città è.

1. Hai visto che negozi? Sono tutti molto eleganti e _____ prezzi altissimi!
2. Tu _____ ancora quell'amica con la casa a Murano? Sono curiosa di vedere le fabbriche del vetro.
3. Quell'attore _____ molto successo con le teen-ager. L'ho visto alla Mostra del Cinema su una gondola, circondato da ragazzine che gli chiedevano l'autografo.
4. Noi _____ quattro biglietti per visitare la Biennale d'Arte. Ne volete due?
5. Voi _____ le maschere per andare al carnevale a Piazza San Marco?
6. (Io) _____ un motoscafo per un giorno e voglio visitare i canali e gli edifici più sconosciuti della città. Ti va di venire?
7. _____ un gran mal di piedi. Ho camminato tutto il giorno e alla fine ho attraversato il Ponte di Rialto!

La città è ____ ____ ____ ____ ____ ____ ____.

3 Completa con i verbi *essere* o *avere* al presente indicativo, come nell'esempio.

Torino

Sì, è vero, _è_ la capitale dell'automobile, ma, insomma, di interessante non _____ solo la Fiat. Vogliamo parlare di storia? _____ un Museo Egizio di grande valore, con più di seimila oggetti. O parliamo di cinema? Il suo Museo Nazionale del Cinema _____ unico in Italia ed _____ uno tra i più importanti nel mondo. Si trova all'interno della Mole Antonelliana, che _____ il monumento-simbolo della città, un po' come la Tour Eiffel a Parigi. Parliamo di arte? Da anni _____ all'avanguardia e nel 2008 è stata capitale mondiale del design! E infine, se concludiamo con lo sport, ricordiamo che la sua squadra, la Juventus, _____ tantissimi tifosi che _____ sparsi in tutta Italia.

da www.italiadascoprire.it

4 Completa con i verbi *essere* e *esserci* al presente indicativo, come nell'esempio e risolvi gli anagrammi delle città.

Informazioni della guida Michelin

GIA-PE-RU _ _ _ _ _ _ _ _____ un'antica città del centro Italia ricca di monumenti dell'epoca comunale.

A **GIA-PE-RU** _ _ _ _ _ _ _ _____ delle industrie di dolci; la più famosa _____ la Perugina, che _____ la "madre" del cioccolatino più famoso al mondo: il "Bacio".

GIA-PE-RU _ _ _ _ _ _ _ _____ in Umbria, una regione molto verde ma dove non _____ il mare.

GIA-PE-RU è ____ ____ ____ ____ ____ ____ ____.

A **RO-VE-NA** _ _ _ _ _ _ _____ l'Arena che _____ un teatro usato per rappresentazioni liriche.

_____ molti monumenti famosi come il Palazzo Comunale, il Palazzo degli Scaligeri, la Loggia del Consiglio e Piazza dei Signori, ma la piazza più famosa _____ Piazza delle Erbe.

I turisti vanno a **RO-VE-NA** _ _ _ _ _ _ per vedere il balcone e la tomba di Giulietta che _____ la protagonista della tragedia di Shakespeare *Romeo e Giulietta*.

RO-VE-NA è ____ ____ ____ ____ ____ ____.

1 Associa le parole della lista ai verbi *avere* o *essere*, come nell'esempio.

fretta   triste   bisogno   paura   felice

fame   sonno   arrabbiato   stanco   sete

avere { fretta	essere {

2 Completa i dialoghi con le espressioni della lista in basso.

1. ■ Ciao Carla, come va?
   ● Ciao, scusa, non posso fermarmi, _____, sono in ritardo.

2. ■ Per favore, non andare via, _____ di te ancora per un po', volevo finire di mettere in ordine la libreria!
   ● No, guarda, mi dispiace, se vuoi torno domani mattina. Ora devo andare che ho un appuntamento.

3. ■ È tardi e i bambini _____. Noi andiamo.
   ● Se volete possiamo accompagnarvi in macchina.

4. ■ Vieni a casa di Marco stasera?
   ● No, _____ perché è morta mia nonna, preferisco restare vicino ai miei. Ci sentiamo per un'altra volta, ok?

5. ■ _____? Butto giù la pasta?
   ● No, ancora no. Aspettiamo che arrivi anche papà!

6. ■ Aspetta! _____! Voglio fermarmi a bere qualcosa al bar!
   ● Sì, ottima idea, prendiamoci un aperitivo.

7. ■ Che c'è? Perché non mi parli? _____?
   ● No, ho solo un gran mal di testa.

8. ■ Vuoi salire sulle montagne russe?
   ● No, _____. Facciamo qualcosa di più tranquillo.

9. ■ Mamma, _____, mi prendi in braccio?
   ● Dai, guarda che siamo quasi arrivati…

10. ■ Paolo _____ da quando esce con Bianca.
    ● In effetti sembra che stiano bene insieme.

sono triste   ho bisogno   ho paura   sei arrabbiato   ho fretta   avete fame

hanno sonno   ho sete   sono stanco   è felice

1 Completa il testo con l'ultima lettera degli aggettivi. Poi scrivi i numeri dei paragrafi vicino ai titoli corrispondenti.

Facciamo alla romana

1. A cena al ristorante in compagnia. Un gruppo di amici, come spesso succede. Chiacchiere e risate, il caffè e… "Scusi, ci fa il conto?". Ed ecco il conto: tutto insieme, ma…

2. Chi paga? E quanto paga? C'è l'amico **mangion___**, l'amica sempre **attent___** alla dieta, quello che beve vino **costos___**, quello che mangia l'antipasto, il **prim___** piatto, il **second___** piatto, il contorno, la frutta, il dolce…

3. Certo tra amici **intim___** è possibile pagare a turno: oggi offro io al ristorante **cines___**, alla **prossim___** occasione tu al ristorante **arab___** … Questo sistema è **elegant___** e **comod___**, ma funziona solo se si è in pochi ed **educat___**.

4. Se invece la compagnia è **numeros___**? "Facciamo alla romana!!!". Sembra facile,

ma il problema è che quest'espressione ha **divers___** interpretazioni: dividere il conto in parti **ugual___** o pagare esattamente ciò che si è mangiato?

5. Esperti di "bon ton" dicono alcune cose da non fare: non chiedere **tant___** conti, un conto per ogni cliente; non presentarsi alla cassa ognuno con la **su___** carta di credito per pagare la **propri___** parte; infine, decidere subito come si paga e non farlo all'ultimo momento, per evitare **brutt___** sorprese!

6. La cosa migliore è fare "alla romana" così: dividere in parti **ugual___** e poi, se c'è (e di solito c'è!) chi vuole una bottiglia di vino **particolar___**, può dire: "Ok ragazzi, la bottiglia che ho scelto la pago io".

da *www.romaexplorer.it*

titoli	paragrafo n°
a. I no degli esperti di bon ton	_____
b. Comportamento tra amici	_____
c. Diversi modi di mangiare	_____
d. Le regole della buona educazione	_____
e. Significati di "conto alla romana"	_____
f. Tutti insieme a mangiare fuori con amici	_____

2 Completa con gli aggettivi della lista e collega i testi ai disegni, come nell'esempio. Attenzione al maschile/femminile e al singolare/plurale.

Che cosa fai a pranzo?

breve	*veloce*	fresco	leggero	misto

1. Preferisco un pranzo _veloce_ e _____. Al lavoro ho una pausa _____, quindi devo mangiare in fretta e soprattutto non appesantirmi per poter lavorare bene. Un piatto di spaghetti al pomodoro _____ e un po' di insalata _____ vanno più che bene.

a

piccante	abbondante	preferito	saporito

2. Mi piace molto mangiare e non perdo mai l'appetito! A mezzogiorno cerco sempre di interrompere il lavoro almeno per un'ora e così, a casa o al ristorante, posso fare quasi sempre un pranzo _____ e _____. I miei piatti _____ sono: pasta al ragù e salsicce _____.

b

rosso	fritto	molto	grande

3. Quando esco da scuola ho _____ fame. Spesso mangio alla tavola calda un _____ pezzo di pizza _____ e le patatine _____.

c

lungo	francese	casereccio	piccolo
elaborato		poco	

4. Lavoro al centro di Palermo e per fortuna ho una _____ pausa pranzo. Mi piace girare per i ristoranti e provare sia cucine _____ sia semplici. Qualche volta vado in pizzeria o al ristorante _____ "Chez Maxim". In centro a Palermo c'è un po' di tutto. Forse il mio preferito, però, non è un ristorante, ma una _____ trattoria vicino all'ufficio che fa cucina _____ e che ha solo _____ posti.

d

3 Completa con gli aggettivi e fai il test. Attenzione al maschile/femminile e al singolare/plurale.

Che tipo sei a tavola?

1. Quando ti siedi sul tuo divano per vedere un film, preferisci:
   a. mangiare da solo un _____ panino con la nutella.
   b. mangiare, da solo o in compagnia, del pane _____ con un po' di salmone.
   c. mangiare qualche cioccolatino _____ con un bicchiere di vino.
   d. dividere con gli amici qualche bottiglia di birra _____ e una bella pizza.

fresco	grosso	integrale	svizzero

2. Quando arrivi a casa dopo una giornata di lavoro:
   a. ti butti affamato su qualsiasi cosa _____ che trovi in frigorifero.
   b. trovi sempre nel frigo degli ingredienti _____ per preparare un'insalata fresca e leggera.
   c. sei sempre _____ di invitare un amico o uscire a cena.
   d. non ti manca l'energia per prepararti qualche ricetta _____ imparata da tua nonna o trovata su un buon libro di cucina.

tradizionale	biologico	felice	mangiabile

3. Quando arrivi per turismo in una città nuova:
   a. entri nel primo locale che pubblicizza piatti _____ della zona.
   b. non mangi carne e ti informi sui migliori ristoranti _____.
   c. mangi in ristoranti _____ con attenzione prima della partenza.
   d. cerchi i posti più _____ della città; dove c'è gente di solito si mangia bene.

selezionato	tipico	vegetariano	frequentato

Soluzioni:

Hai una maggioranza di risposte **a**?
Sei goloso: per te la cucina è fatta di _____ coccole. Ami il _____ cibo che ti fa sentire _____ come un bambino.

soddisfatto	dolce	felice

Hai una maggioranza di risposte **b**?
Sei salutista: per te il cibo è benessere. Ti piace una cucina che ti fa sentire di avere un corpo _____ e ti fa affrontare con energia _____ giornate.

stressante	sano

Hai una maggioranza di risposte **c**?
Sei conviviale: per te il cibo è _____ amicizia. Ti piace stare a tavola e passare momenti _____ con qualcuno.

caldo	allegro

Hai una maggioranza di risposte **d**?
Sei buongustaio: per te la cucina è arte. Ti piace mangiare bene e ami le ricette _____ e _____ di creatività.

pieno	raffinato

1 Associa le parole ai nomi corrispondenti, come nell'esempio; Attenzione al maschile/femminile. Alcune parole si possono usare per più nomi.

rosé   minerale   maturo   frizzante   forte   rosso   acerbo   piccante   fresco

naturale   stagionato   bianco   di stagione   scotto   integrale   leggero

vino	acqua	pane	formaggio	pasta	frutta
rosé					

2 Completa i dialoghi con gli aggettivi della lista, come nell'esempio. Le lettere tra parentesi, lette in ordine, danno il nome di un vino italiano.

bianco (V)   leggero (E)   matura (C)   acerba (O)   frizzante (D)

piccanti (I)   integrale (I)   scotta (H)   naturale (R)   di stagione (C)

1. Al ristorante

■ Da bere cosa vi porto?

● Visto che mangiamo pesce, del vino _bianco (V)_, abbastanza _____, sugli 11 gradi, per favore. E una bottiglia di acqua _____. Ah, anche una di acqua _____ perché ai bambini piace con le bollicine.

2. Marito e moglie

■ Vai tu a fare la spesa? Compra del pane _____ e della frutta ben _____, ma prendi quella _____, ti prego, non mi piace mangiare frutta conservata!

● Va bene, come vuoi tu...

3. In trattoria

■ Avete mangiato bene?

● Ma, veramente no! La pasta era _____, per secondo abbiamo chiesto un vassoio con scelta di formaggi ma erano tutti pieni di peperoncino, troppo _____, e alla fine ci hanno portato della frutta ancora _____.

Il vino è il _V_ ___ ___ ___ ___ ___ ___ ___ ___.

6 Forma di cortesia

Grammatica

1 Scegli la situazione corretta per ogni dialogo e scrivi il numero nello spazio corrispondente. Poi scopri quando si dà del *tu* o del *Lei* in italiano e metti una *X* nel quadratino corrispondente, come nell'esempio.

dialogo	dialogo	descrizione
A	*Sig.ra Celestini:* Mi fa un caffè macchiato per favore? *Barista:* Come lo vuole, in tazza grande o in tazza piccola? *Sig.ra Celestini:* In tazza piccola, grazie.	_2_
B	*Aldo:* Ciao, come stai? *Anna:* Bene, bene, grazie, che ci fai qui? *Aldo:* Sono venuto a comprare dei cd.	—
C	*Francesca:* Cosa mi consigli di regalare ad un'amica che fa 18 anni? *Lia:* Guarda, qui ci sono delle collane e degli anelli. *Francesca:* Bene, allora scelgo in questa vetrina. *Lia:* Sì, e poi qui trovi i bracciali.	—
D	*Filippo:* Come sta tua moglie, è guarita dall'influenza? *Vittorio:* Sì, sì, ora però ha ancora un forte raffreddore. *Filippo:* Vedrai passerà, l'altro giorno al cinema era molto freddo, con l'aria condizionata ci siamo raffreddati tutti.	—
E	*Sig. Rossi:* Senta, scusi, per andare al Colosseo? *Sig.ra Bianchi:* Vada sempre dritto e giri al terzo semaforo a destra. Il Colosseo è lì di fronte.	—
F	*Carlo:* Scusi, quando c'è il prossimo esame? *Giannini:* Controlla su internet, credo alla fine di giugno.	—

situazioni	Lei	tu
1. due ragazze che non si conoscono in un negozio	☐	☐
2. *cliente al cameriere in un bar*	☒	☐
cameriere al cliente in un bar	☒	☐
3. due ragazzi che si conoscono	☐	☐
4. uno studente al suo professore	☐	☐
il professore a uno studente	☐	☐
5. due signori che si conoscono	☐	☐
6. un signore e una signora che non si conoscono	☐	☐

2 Leggi queste barzellette e scegli la forma corretta dei verbi. Le persone che parlano si danno del *Lei*.

A teatro

- **Scusi/Scusa**, quanto costa una poltrona?
- Ci vogliono trenta euro per la platea, venti per il palco e… un euro per il programma.
- Mi **dai/dà** il programma per favore? Mi siederò su quello!

Al bar

Sig. Bianchi: Buongiorno, come **stai/sta**? **Bevi/Beve** qualcosa con me?
Sig. Verdi: **Guarda/Guardi**, ne ho proprio bisogno. La mia fidanzata ha rifiutato la mia proposta di matrimonio.
Sig. Bianchi: Ma come? Le **ha detto/hai detto** che Suo zio è ricchissimo?
Sig. Verdi: Certo! Ora lei è mia zia…

Dal dottore

Un paziente molto grasso va dal dottore.
Il dottore: Se Lei, da oggi in poi, **fai/fa** dieci chilometri al giorno per un anno, sicuramente **arriva/arrivi** al suo peso forma.
Un anno dopo il paziente telefona al dottore.
Il paziente: **Sa/Sai** che adesso ho una linea perfetta? Ma ho un altro problema…
Il dottore: E cioè?
Il paziente: Ora sono a 3650 chilometri da casa!

Dal dentista

Il paziente: Ahiaaaaaaaaaa!
Il dentista: Ma insomma, **smette/smetti** di urlare? Non Le ho neanche toccato il dente!
Il paziente: Sì, ma mi **stai/sta** calpestando il piede!

3 Trasforma queste espressioni dal *Lei* al *tu* e viceversa, come nell'esempio. Fai attenzione ai pronomi.

1. Quanti anni ha?	1. *Quanti anni hai?*
2. Da dove viene?	2.
3. Di dove sei?	3.
4. Come si chiama?	4.
5. Che lavoro fa?	5.
6. Quali lingue sai parlare?	6.
7. Senta, scusi, per andare al Colosseo?	7.
8. Guarda tanta televisione?	8.
9. Vuole un caffè?	9.
10. Ti posso offrire un aperitivo?	10.
11. Si interessa di cinema?	11.
12. Da quanto tempo ti occupi di politica?	12.
13. Le piace l'espresso italiano?	13.
14. Ti fa ancora male la testa?	14.
15. Le va di andare a teatro?	15.

Lessico Modi di dire • Parti del corpo

1 Sostituisci le espressioni *evidenziate* con quelle della lista che hanno lo stesso significato.

> ha la testa tra le nuvole
>
> a quattr'occhi
>
> dalla testa ai piedi
>
> a occhio
>
> sogna ad occhi aperti
>
> a testa
>
> ha le mani bucate
>
> ha la testa sulle spalle
>
> ci metto la mano sul fuoco

1. La nuova ragazza di Fabio *spende un sacco di soldi* / _____ .
2. Alfredo è proprio un bravo ragazzo, va bene all'università e lavora, *è serio e sa come comportarsi* / _____ .
3. Guardi, suo figlio ultimamente in classe *è distratto* / _____:
   forse pensa a qualcosa che per lui è più interessante della lezione, ma così non va bene.
4. È uscita senza ombrello e si è bagnata *tutta* / _____ .
5. Adora le macchine da corsa e spesso *immagina* / _____ di guidare
   una Ferrari e partecipare a un gran premio.
6. Adesso voglio dare una caramella *ad ognuno di voi* / _____ .
7. Non so dire quanti anni ha, *più o meno* / _____ una quarantina.
8. In questo periodo è intrattabile; devo parlargli *da solo* / _____ .
9. Di Franco puoi fidarti, *sono sicura* / _____ .

2 A quali modi di dire dell'esercizio 1 si riferiscono i disegni?

a. _____

b. _____

3 Metti in ordine i dialoghi e completali con le espressioni delle liste.

ha la testa tra le nuvole   a quattr'occhi

n. ___ *Papà:* Allora che facciamo, gli parliamo?

n. ___ *Mamma:* Eh, quello che dicono sempre, che è distratto, che
_____, che non studia…

n. ___ *Papà:* Ma insomma, che ti hanno detto i professori di Carlo?

n. ___ *Mamma:* No, guarda, non gli parliamo insieme. Meglio se parla
_____ con te, io ci rinuncio!

dalla testa ai piedi   a occhio   sognava ad occhi aperti   a testa

ha le mani bucate   ha la testa sulle spalle   ci metterei la mano sul fuoco

n. ___ *Ilaria:* Ma dove è andato il nonno?

n. ___ *Franca:* Nonno 70 e lei non lo so ma _____ ne avrà 74, 75.

n. ___ *Ilaria:* Ma non è possibile, con questa pioggia! Ma ci arriverà bagnato
_____! Ma davvero ci va tutti i giorni?

n. ___ *Franca:* Come tutti i giorni sarà andato a casa della sua amica a giocare,
_____… Ne sono sicura perché l'ho visto con un mazzo di fiori!

n. ___ *Franca:* Sì, sì. La verità è che lì c'è una signora che gli piace e l'altro giorno
_____ di chiederle di sposarlo.

n. ___ *Ilaria:* Ma non ci posso credere… sposarla? Ma quanti anni hanno?

n. ___ *Ilaria:* Se quello che dici è vero bisogna cominciare a preoccuparsi. Già me lo
immagino il nonno: adesso comincerà a farle anche un sacco di regali.
_____, soprattutto quando è innamorato i soldi per lui
servono solo a far felice l'altra persona!

n. ___ *Franca:* Ma no, secondo me possiamo stare tranquille. In fondo il nonno
_____: magari spenderà i soldi ma di sicuro lascerà una casa
_____ alle nipoti.

7 Aggettivi e pronomi possessivi

1 Completa la tabella dei possessivi, come negli esempi.

maschile		femminile	
singolare	plurale	singolare	plurale
Il maglione che ho comprato ieri. _Il mio maglione_	Gli occhiali che porto. _____	La macchina che ho in garage. _____	Le scarpe rosse che indosso. _Le mie scarpe_
Il pianoforte che suoni. _____	I soldi che hai nel portafogli. _I tuoi soldi_	La casa dove abiti. _La tua casa_	Le penne che hai nel cassetto. _____
Il libro che ha scritto. _____	I figli che ha con Maria. _I suoi figli_	La torta che ha cucinato. _____	Le collane che le ha regalato il marito. _____
Il paese dove abitiamo. _Il nostro paese_	Gli amici che abbiamo. _____	L'opera che abbiamo realizzato. _____	Le storie che ci riguardano. _____
L'albergo che avete prenotato. _____	I mobili che avete in negozio. _____	La cucina che avete ordinato. _La vostra cucina_	Le carte che avete portato. _Le vostre carte_
Il conto in banca che hanno aperto. _____	I giornali che stanno leggendo. _____	La lingua che parlano. _La loro lingua_	Le piante che hanno a casa. _____

2 Collega ogni domanda a due possibili risposte. Completa le risposte con i possessivi e gli articoli se necessari.

a. Mi dici dove abita tuo cognato? Risposte _3_ - ___	**1.** Prima sistemate _____ camera. Avete lasciato tutto in disordine! **2.** No, _____ è quella lì, questa è della sorella. **3.** Sì, ti mando _____ indirizzo sul cellulare.
b. Mamma, possiamo andare in giardino? Risposte ___ - ___	**4.** Sì, ma riportate a Riccardo _____ palla e chiedetegli se vuole giocare con voi. **5.** Sì. E questa è _____: è un po' piccola ma mi ci trovo bene.
c. Questa è la stanza di Luigi? Risposte ___ - ___	**6.** Eh, purtroppo l'indirizzo esatto non lo so. E ho dimenticato _____ agenda a casa. Se vuoi ti richiamo stasera.

3 Scrivi il possessivo di prima persona corretto e indica con una X se le frasi sono vere o false, come nell'esempio. Inserisci l'articolo dove necessario.

	Vero	Falso
1. _Mia_ moglie è la donna che ho sposato.	☒	☐
2._____ marito è il figlio di mio papà.	☐	☐
3._____ nonne sono le sorelle di mio padre.	☐	☐
4._____ nuore sono le mogli dei miei figli.	☐	☐
5._____ generi sono i figli di mio figlio.	☐	☐
6._____ cugine sono le madri di mia moglie.	☐	☐
7._____ zii sono i fratelli di mio padre.	☐	☐
8._____ suocera è la madre di mio marito.	☐	☐
9._____ bisnonno è il padre di mia nonna.	☐	☐
10._____ nipote è il figlio di mia figlia.	☐	☐

4 Completa con il possessivo corretto. Dove è necessario scrivi anche l'articolo.

Margherita Dolcevita

(Mio) _____ genitori mi hanno chiamato Margherita, ma io amo essere chiamata Maga o Maghetta. Quando è di buon umore, (mio) _____ papà mi chiama Mignolina, che era (suo) _____ fiaba preferita da bambino. (Mio) _____ compagni di scuola, ironizzando sul fatto che non sono proprio snella, a volte mi chiamano Megarita. (Mio) _____ nonno, che è un po' artereosclerotico*, mi chiama Margheritina, ma a volte anche Mariella, Marisella oppure Venusta, che era (suo) _____ sorella. Ma soprattutto, quando sono allegra, mi chiama Margherita Dolcevita. (Mio) _____ insegnante di italiano mi chiama Silenzio Laggiù. (Mio) _____ primo amore, praticamente anche l'ultimo, mi chiamava Minnie. Viveva con (suo) _____ zii e aveva una visione disneyana** della vita. (Mio) _____ cane Pisolo mi chiama abbaiando e (mio) _____ fratelli Giacinto e Erminio non mi chiamano mai.

Liberamente adattato da Stefano Benni, *Margherita Dolcevita*, Feltrinelli, 2005

---

*artereosclerotico: persona anziana che ha una malattia per la quale dimentica delle informazioni.
**disneyana: da Walt Disney, creatore dei famosi cartoni animati.

Lessico

7 Espressioni di routine

1 **Metti in ordine il dialogo, come nell'esempio.**

n. __ *Luca:* Guarda, sta **al massimo** a dieci chilometri da Ravello, ma da lì potete muovervi, andare ad Amalfi, a Vietri… La proprietaria dell'albergo, poi, cucina in modo eccezionale!

n. __ *Luca:* Sì, guarda, **fra l'altro** dovrei proprio avere il biglietto da visita nel portafogli… Sì, ecco, si chiama "Il nido", tieni.

n. _1_ *Alessandra:* Tu conosci bene la costiera amalfitana, vero?

n. __ *Alessandra:* Ah, benissimo, allora dimmi il nome…

n. __ *Luca:* Ah, certo, conosco un alberghetto molto carino, tranquillo e con una vista stupenda. Non sta proprio vicino al mare, ma se andate con la macchina è l'ideale.

n. __ *Alessandra:* Grazie, credo proprio che lo chiamerò.

n. __ *Alessandra:* E dov'è **per la precisione**?

n. __ *Luca:* Sì, **ogni tanto** ci vado per lavoro. Perché me lo chiedi?

n. __ *Alessandra:* Perché **può darsi che** riesca a organizzarmi per andarci qualche giorno con Stefano. Forse mi puoi consigliare un posto dove andare a dormire.

2 Trova le frasi in cui le espressioni sono usate in modo improprio.

1. ogni tanto

☐ **a.** Signora, deve assumere meno carne e *ogni tanto* deve mangiare il pesce: fa bene ed è leggero.

☐ **b.** Ho mal di testa: ieri sera ho bevuto veramente *ogni tanto*.

☐ **c.** Il mio lavoro mi piace, ma *ogni tanto* ho voglia di cambiare, di fare un'esperienza nuova.

2. può darsi che

☐ **a.** No, no, non devi tirare fuori il portafogli, ho deciso che oggi *può darsi che* pago io! Voglio offrirti una cena per una volta!

☐ **b.** Fabrizio non è tornato ancora a casa… *Può darsi che* abbia trovato molto traffico.

☐ **c.** È finito il pane… Prova a passare al supermercato, *può darsi che* sia ancora aperto.

3. per la precisione

☐ **a.** Ha lavorato bene, *per la precisione* e con professionalità!

☐ **b.** Scusa, *per la precisione*, mi spieghi cosa ti ha detto Andrea di me?

☐ **c.** Io ho già fatto le pulizie di casa, l'altro ieri *per la precisione*, quindi oggi tocca a te.

4. al massimo

☐ **a.** Mirco avrà *al massimo* vent'anni, ma ne dimostra di più.

☐ **b.** Che freddo! Ci saranno *al massimo* cinque gradi!

☐ **c.** Giulio è stato bravo: ha superato l'esame con *al massimo* dei voti.

5. fra l'altro

☐ **a.** Mi piace molto come hai ridipinto la tua stanza… *Fra l'altro* l'azzurro è il mio colore preferito.

☐ **b.** Dai, venite anche voi, la casa è piccola ma ci stringiamo… *Fra l'altro* mia sorella va via venerdì quindi vi posso dare la sua camera.

☐ **c.** Stai tranquilla, ti chiamo io più tardi, lo faccio *fra l'altro*.

8 Presente dei verbi irregolari e modali

1 Completa le domande del test con i verbi al presente indicativo, come nell'esempio.

Sei stressato o ansioso?

a. Come (*mangiare*) ___mangi___ a pranzo?

b. Quanto tempo (*dedicare*) _____ al tuo hobby preferito?

c. Cosa (*fare*) _____ la sera prima di dormire?

d. Come ti (*comportare*) _____ quando sei in ritardo ad un appuntamento?

2 Adesso abbina le domande dell'esercizio 1 alle risposte, come nell'esempio. Poi completa con i verbi al presente indicativo e fai il test. Alla fine leggi il tuo profilo.

1. ___

☐ **a.** Guardo sempre l'orologio, mi (*affrettare*) _____ e se è troppo tardi non ci (*andare*) _____.

☐ **b.** Telefono subito a chi mi aspetta e gli (*dire*) _____ che farò tardi.

☐ **c.** Se il ritardo (*essere*) _____ minimo, non (*fare*) _____ niente; se supera i dieci minuti, telefono per avvisare.

2. ___

☐ **a.** (*Pensare*) _____ a tutto quello che ho fatto durante il giorno.

☐ **b.** Sistemo la casa e (*organizzare*) _____ quello che serve per il giorno dopo.

☐ **c.** (*Bere*) _____ un bicchierino di qualcosa, (*leggere*) _____ un libro e mi addormento.

3. ___

☐ **a.** Spesso (*rimanere*) _____ tutto il giorno in ufficio. (*Uscire*) _____ alle sette o alle otto di sera e non (*riuscire*) _____ a trovare il tempo di fare altro.

☐ **b.** Quando (*essere*) _____ in ferie, circa dieci ore a settimana.

☐ **c.** Quando lavoro, poco. Quando (*essere*) _____ in vacanza, tanto tempo.

4. _a_

☐ **a.** Mi porto una mela e uno yogurt da casa, (*rimanere*) _____ davanti al computer e mangio senza perdere tempo.

☐ **b.** (*Prendere*) _____ un panino e un caffè al bar.

☐ **c.** Se ho tempo mi (*sedere*) _____ e mangio un piatto caldo o un'insalata.

Soluzioni:

Hai una maggioranza di risposte **a**? Vivi in maniera ansiosa e stressata. Dedichi poco tempo a te e ai tuoi bisogni. Cerca di rispettarti di più.

Hai una maggioranza di risposte **b**? Vivi in maniera abbastanza ansiosa e sei un po' stressato, ma stai tentando di migliorare e di dedicarti di più a te e ai tuoi bisogni.

Hai una maggioranza di risposte **c**? Vivi bene e riesci in ogni situazione a decidere con serenità cosa è meglio fare per te e per gli altri. Lo stress e l'ansia non sono i tuoi nemici.

3 Completa il testo con i verbi al presente indicativo, come nell'esempio.

Nasce lo Psicohappyhour:

sedute di psicologia al bar!

L'idea in effetti ha la sua bella utilità. *(Tu - Uscire)* _Esci_ , *(andare)* _____ al pub, *(bere)* _____ un caffè o una birra e ti *(fare)* _____ una chiacchierata con lo psicologo! Anzi, con gli psicologi, perché al pub ce ne sono due o tre che ti aspettano! Loro si presentano e tu *(scegliere)* _____ con chi chiacchierare… Tutto gratis, tranne quello che mangi e *(bere)* _____, naturalmente!

È lo "Psicohappyhour", la nuova iniziativa di alcuni psicologi che così *(riuscire)* _____ a presentarsi in maniera molto diversa dal solito. Alla gente che *(avere)* _____ paura dal classico "lettino" *(dare)* _____ la possibilità di riflettere in modo leggero su temi fondamentali. Il programma di questi incontri-conferenze, infatti, è molto "easy". Si inizia con l'aperitivo, in cui le persone *(potere)* _____

scegliere: o si *(sedere)* _____ o *(rimanere)* _____ in piedi mentre mangiano e *(bere)* _____ qualcosa. Poi, alle venti, si apre la chiacchierata collettiva e gli psicologi *(proporre)* _____ un tema - il rapporto con se stessi, le relazioni interpersonali… - e tutti possono intervenire. Se ti interessa *(potere)* _____ partecipare ad un incontro a Milano, a "La Vecchia Latteria" o a Roma presso il pub "Blow Club". L'ingresso *(essere)* _____ libero per tutti e le conferenze si *(tenere)* _____ quasi sempre dopo le 20. Per il momento le serate *(riuscire)* _____ bene. Gli psicologi, infatti, *(dire)* _____ di essere soddisfatti dei dibattiti: *(dare)* _____ consigli, rispondono a domande e *(conoscere)* _____ persone di tutti i tipi. Se vuoi sapere il tema delle conferenze, *(andare)* _____ su internet, scrivi *psicopub* e il nome della città in cui *(essere)* _____.

Poi *(scegliere)* _____ il tema che ti interessa, e vai!

da *www.curiosita-psicologia.it*

4 Completa la tabella con il presente dei verbi irregolari.

	Rimanere	Dire	Dare	Salire	Sedere	Uscire	Tenere	Andare
noi	rimaniamo							andiamo
loro		dicono						
lui/lei						esce		
voi				salite				
io			do		siedo			
tu							tieni	

5 Completa le frasi con i verbi *dovere*, *potere*, *volere*, *sapere* e *conoscere*. Poi scrivi i luoghi dove puoi ascoltarle, al posto giusto nell'ultima colonna, come nell'esempio.

| a casa | a scuola | in palestra | dallo psicologo |

	Luoghi
1. (Io) _Voglio_ mettere un quadro in soggiorno, sopra al divano.	1. _a casa_
2. Siamo stanchissimi, quanti esercizi per le gambe _____ fare ancora?	2. _____
3. Guardi, oggi è l'ultima volta che vengo, questa terapia non serve a niente. Ho deciso, da domani non _____ più vederla!	3. _____
4. Noi ancora non _____ il nuovo professore di matematica.	4. _____
5. La nuova maestra non _____ spiegare la lezione, nessuno capisce niente!	5. _____
6. (Tu) _____ Giorgia, la nuova istruttrice di aerobica? Io sì, l'ho vista lunedì.	6. _____
7. No, non (io) _____ uscire, _____ fare i compiti.	7. _____
8. Non _____ più come comportarmi con mio marito… ogni volta che parliamo litighiamo. Cosa mi consiglia?	8. _____

6 Completa il testo con i verbi della lista al presente indicativo. I numeri tra parentesi ti suggeriscono due possibilità: scegli quella corretta per ogni verbo, come nell'esempio.

| crescere / sconvolgere (1 e 15) | fare / sapere (2 e 10) | guarire / costituire (3 e 14) |

| stare / creare (4 e 13) | essere / rimanere (5 e 8) | dire / favorire (6 e 9) |

| morire / essere (7 e 16) | essere / riuscire (11 e 12) |

Guarire ridendo

L e scoperte mediche degli ultimi venti anni [1.] _sconvolgono_ l'idea di malattia. Oggi tutti [2.] _____ che l'atteggiamento del malato è più importante di molte medicine e che ridere è l'atteggiamento più salutare. Il medico più simpatico [3.] _____ il 25% dei malati in più rispetto al terapeuta che non [4.] _____ un "feeling" con i pazienti. È ormai certo che l'ottimismo e il buon umore [5.] _____ condizioni che [6.] _____ la buona salute.

Essere irritabili o stressati è addirittura peggio del fumo o dell'alcool.

Insomma i tristi, incazzati e pessimisti [7.] _____ prima. E comunque, gli ottimisti, poveri o ricchi, [8.] _____ in vita più a lungo. In sostanza, la saggezza popolare trova oggi la conferma: tutti [9.] _____ che arrabbiarsi "[10.] _____ il sangue cattivo". [11.] _____ ovvio che una persona soddisfatta, che [12.] _____ a comunicare e ad essere ottimista, [13.] _____ meglio. Ridere molto è un ottimo metodo per stare bene. [14.] _____ senza dubbio un'ottima ginnastica! Infatti, se per piangere usiamo venti muscoli, per ridere ne usiamo più di sessanta. Inoltre, gli studiosi hanno notato che i neonati che ridono molto [15.] _crescono_ di più e [16.] _____ più sani.

Liberamente adattato da Jacopo Fo, *Guarire ridendo*, Mondadori, 1997

1 Associa le parole della lista ai verbi *fare* o *dare*, come nell'esempio.

una mano   caso   in tempo   il via   silenzio   centro   vita   modo

fare {
   caso

dare {

2 Sostituisci le espressioni *evidenziate* con quelle della lista in basso che hanno lo stesso significato. Attenzione: i verbi sono all'infinito.

1. È una persona così carina: sempre disponibile a *aiutare* / _____ tutti.

2. Bravo, *hai indovinato* / _____... è proprio il regalo che volevo.

3. Lo sapete che la comunità europea premia i gruppi di donne che *creano* / _____ nuove imprese?

4. Questo viaggio mi *ha permesso* / _____ di conoscere i miei compagni di squadra.

5. Ragazzi, presto, fra poco l'arbitro fischia e *fa cominciare la* / _____ gara!

6. Devi *stare attento* / _____ a quello che dici. Puoi offendere gli altri.

7. Purtroppo ieri non *sono riuscita* / _____ a liberarmi per la cena. La riunione è finita tardissimo.

8. Bambini, ora comincia lo spettacolo. Mi raccomando: *non parlate* / _____!

dare una mano a   dare il via alla   dare vita a   dare modo

fare caso   fare centro   fare silenzio   fare in tempo

9 Aggettivi e pronomi dimostrativi

1 Scrivi i nomi al posto giusto nella tabella. Poi cancella con una X le parole che non sono capi o accessori di abbigliamento, come nell'esempio.

camicia, maglietta, pantaloni, borsa, maglione, orecchini, cravatta, gonna, vestito
sciarpa, scuola, calzini, scarpe, stivali, zaini, gilet, cappello, ciabatte
calze, caffè, mutande, onda, canottiera, piatti, reggiseno, scialle, sandali
golf, pentole, guanti, occhio, cappotto, libro, armadio, giacca a vento, impermeabile

questo quello / quell'	questo quel	questa quella / quell'	questi quegli	questi quei	queste quelle
		camicia			

Adesso scrivi qui sotto le iniziali delle parole cancellate. Ti daranno il nome di un tipico cappello italiano.

__S__ ___ ___ ___ ___ ___ ___ ___

2 Guarda le differenze tra questi due disegni, poi completa le frasi con i dimostrativi, come nell'esempio.

1. _____*Queste*_____ scarpe sono aperte, _____*quelle*_____ sono chiuse.
2. _____ sciarpe sono a pois, _____ sono a righe.
3. _____ cappello è caduto, _____ sta sul manichino.
4. _____ camicia è elegante, _____ è sportiva.
5. _____ zaini sono piccoli, _____ sono grandi.
6. _____ gonne sono corte, _____ sono lunghe.
7. _____ pantaloni sono lunghi, _____ sono corti.
8. _____ guanti sono di pelle, _____ sono da neve.
9. _____ maglione ha il collo alto, _____ è a V.
10. _____ giacca ha i bottoni, _____ ha la zip.

3 Completa con gli aggettivi o i pronomi dimostrativi e collega le frasi di sinistra con quelle di destra, come nell'esempio.

1. *Vedi* _*quella*_ *maglietta gialla là in vetrina?*
2. Vedi _____ ragazza in fondo? _____ che sta sulla destra? È Anna, la mia ragazza.
3. Di chi sono _____ borse là?
4. Quali camicie ti porti per il mare? _____ qui o _____ nell'armadio in corridoio?
5. Come ti sta bene _____ vestito!
6. Prendi i panni da lavare: _____ qui chiari e _____ lì scuri.

a. Sì, va bene… E _____ qui dei bambini? Li mettiamo insieme?
b. *Ah, sì, sì, è come* _*quella*_ *che ti ha regalato il tuo ragazzo per il compleanno!*
c. Sì, sì, ho capito, _____ col vestito verde, è proprio carina!
d. Ah, grazie, ero indecisa se mettere _____ qui o _____ nero.
e. Solo _____ qui, sono più leggere.
f. _____ gialla di pelle è la mia, lo zaino è di Giusi.

1 _*b*_ - 2 ___ - 3 ___ - 4 ___ - 5 ___ - 6 ___

Contrari

1 Scegli il prefisso corretto di ogni parola per formare il contrario, come nell'esempio.

1. Ha fatto degli errori per **(in)/im/irr**-esperienza, sono sicuro che lo perdoneranno.
2. Mi dispiace dirLe che la cifra di cui mi parlava è **im/ir/in**-sufficiente per la tipologia di appartamento che sta cercando.
3. Questo disegno è pieno di **im/s/dis**-perfezioni, rifallo!
4. Da quando è **dis/im/ir**-occupato non sa come passare il tempo.
5. In questo ufficio c'è troppa **in/dis/ir**-organizzazione! Parlerò con il vostro responsabile!
6. Non andare sempre di fretta. Se fai le cose con **in/im/s**-pazienza non avrai un buon risultato.
7. È stato difficile tornare al porto perché il vento era molto **dis/in/s**-favorevole.
8. Prima di uscire metti a posto i vestiti e i cd, qui c'è sempre troppo **in/dis/ir**-ordine!
9. È una decisione **ir/in/s**-razionale. Pensaci ancora un po' prima di lasciare quel lavoro.
10. Guarda, non voglio più vederla, mi ha detto delle cose molto **dis/s/in**-gradevoli.
11. Ogni volta che va in vacanza è sempre brutto tempo: è proprio **s/in/dis**-fortunata.
12. Non sa giocare a pallone, dà calci sulle gambe e fa azioni **dis/in/ir**-regolari.
13. Non mi piace quel ragazzo, si comporta male, è **dis/in/irr**-onesto.

2 Completa i dialoghi con il contrario delle parole *evidenziate*.

Mario: È sempre Franco il capo di questo settore?

Davide: Sì, perché?

Mario: Mi hanno un po' raccontato come vanno adesso le cose qui: c'è molto *ordine* / _____: i lavori vengono consegnati *completi* /_____ e *precisi* / _____. Ma cosa è successo? Prima non era tutto così *gestibile* / _____!

Davide: Il fatto è che Franco è in *accordo* / _____ con il nuovo direttore. Inoltre ultimamente ha assunto persone *adatte* / _____ e *esperte* / _____. Così ora è *possibile* / _____ stare bene qui, l'aria è diventata *respirabile* / _____!

Verbi riflessivi e reciproci

Grammatica

1 Completa il testo con i verbi riflessivi al presente indicativo, come nell'esempio.

Due amiche parlano di letteratura

Marta: Che libro stai leggendo?

Monica: L'ultimo di Camilleri*.

Marta: Ah, un giallo, prima anche io leggevo gialli, ma adesso *(annoiarsi)* _mi annoio_ ...

Monica: Come? Io *(rilassarsi)* _____ molto! E poi, con i libri di Camilleri *(sentirsi)* _____ a casa mia, la Sicilia. Comunque questo non è il solito giallo, è un libro storico. *(Svolgersi)* _____ sempre in Sicilia, ma *(occuparsi)*_____ soprattutto di un quadro…

Marta: Ah, e che quadro?

Monica: Un quadro dov'è raffigurato un santo, San Girolamo. Pensa, nessuno si è interessato a questo quadro per secoli e poi adesso Camilleri fa l'ipotesi che sia un'opera di Caravaggio.

Marta: E *(inventarsi)* _____ tutto?

Monica: Mah… *(intrecciarsi)* _____ fatti veri e fatti inventati… guarda è abbastanza avvincente.

Marta: E come *(intitolarsi)* _____ il libro?

Monica: *Il colore del sole.*

*Camilleri: Andrea Camilleri, noto scrittore siciliano di romanzi gialli.

2 Scegli il verbo. Le lettere che corrispondono ai verbi corretti formano il titolo del libro.

I due protagonisti, Renzo e Lucia, **vogliono (L)/si vogliono (I)** sposare, ma un uomo potente, Don Rodrigo, **innamora (E)/si innamora (P)** di Lucia e la **vuole (R)/si vuole (T)** rapire. Lucia **rifugia (A)/si rifugia (O)** in un convento, ma un criminale, che **si chiama (M)/chiama (S)** l'Innominato, **riesce (E)/si riesce (S)** a rapirla e la **si porta (G)/porta (S)** nel suo castello. Ma, quando parla con Lucia, l'Innominato si **commuove (S)/commuove (C)**, **pente (H)/si pente (I)** delle sue cattive azioni e la libera. Nel frattempo **si diffonde (S)/diffonde (U)** la peste e sia Renzo che Lucia **ammalano (N)/si ammalano (P)**, ma poi **guariscono (O)/si guariscono (G)** tutti e due. Poco dopo, Don Rodrigo **si muore (L)/muore (S)** e Renzo e Lucia finalmente **si sposano (I)/sposano (A)**.

Il libro è ___ __ __ __ __ __ __ __ __ __ __ __ __ __ __.

3 Completa i testi con i verbi della lista al presente indicativo. I numeri tra parentesi ti suggeriscono due possibilità: scegli quella corretta per ogni verbo, come nell'esempio.

comprarsi / alzarsi (1 e 8) prendersi / prepararsi (2 e 13) sdraiarsi / entusiasmarsi (3 e 11)

aiutarsi / rilassarsi (4 e 9) permettersi / farsi (5 e 15) addormentarsi / stupirsi (6 e 12)

accorgersi / capirsi (7 e 17) vergognarsi / esibirsi (10 e 18)

fidarsi / meravigliarsi (14 e 16)

◆ 11-02-2008 | #5 (permalink)

Carola 🧍
Senior Member

Data registrazione: 27-02-2008
Messaggi: 327

Cari amici, sono al mare, sto bene, ma ho un problema.
Da un po' di giorni faccio una vita fantastica! 1. _Mi alzo_ con calma, 2. _____, vado in spiaggia, 3. _____ al sole, e leggo, leggo, leggo... A volte il pomeriggio dopo mangiato 4. _____ e 5. _____ anche un sonnellino. Sì, avete capito bene, 6. _____ al sole. E poi leggo ancora. Ma... un giorno vado a prendermi il libro da portare al mare e 7. _____ che li ho finiti tutti. Il problema è: "Che libro 8. _mi compro_ ?" Sono a corto di idee... Vi prego, consigliatemi, datemi un nome, un titolo che vi ha entusiasmato negli ultimi tempi... Ho bisogno di tonificarmi, nutrirmi, sbalordirmi! Se non 9. _____ noi, che stiamo sul forum più intellettuale d'Italia! Confido soprattutto in Giulio e Mafalda: di solito 10. _____ con una lista di nomi che non finisce più!

QUOTE

◆ 12-02-2008 | #6 (permalink)

Giulio 🧍
Junior Member

Data registrazione: 09-02-2008
Messaggi: 19

Cara Carola, grazie per la fiducia... Spero di poterti aiutare. Lo sai, a volte io 11. _____ per certi libri non freschissimi, mentre tu cerchi sempre qualcosa di nuovo... Vediamo se stavolta riesco a soddisfare i tuoi gusti. Ti consiglio un libro fantastico. Ogni volta che lo rileggo 12. _____ di quanto sia straordinario: *Le metamorfosi* di Ovidio, classico ed illuminante!. Fammi sapere cosa ne pensi.

QUOTE

◆ 27-02-2008 | #7 (permalink)

Mafalda 🧍
Junior Member

Data registrazione: 27-02-2008
Messaggi: 13

Carola, 13. _____ tutta la responsabilità di consigliarti assolutamente *Una donna che fischia*, l'ultimo libro della trilogia di Antonia Byatt, una scrittrice inglese. Oltre a uno splendido romanzo, è un affresco appassionante del '68! Ogni volta che leggo la Byatt 14. _____ per la sua bravura e per la sua sterminata cultura. 15. _____ di insistere, vedrai, ne vale la pena!

QUOTE

◆ 27-02-2008 | #7 (permalink)

Carola 🧍
Senior Member

Data registrazione: 27-02-2008
Messaggi: 13

Grazie amici. 16. _____ di voi. Di solito sui libri 17. _____ subito.
Corro a comprare Ovidio (18. _____ di non averlo ancora letto!) e Byatt.

QUOTE

da *www.radio.rai.it/radio3/fahrenheit/forum*

1 **Metti in ordine i dialoghi.**

---

a. n. ___ *Susanna:* No, non preoccuparti, **ce la faccio**.

n. ___ *Alice:* Sì, volentieri.

n. ___ *Susanna:* Se **vi va**, venite da me a cena. Vengono anche Roberto e Alessandra.

n. ___ *Susanna:* Ci vediamo domenica per la partita dell'Italia?

n. ___ *Alice:* Ma **te la senti** di preparare tutto? Se vuoi ti aiuto io.

---

b. n. ___ *Paolo:* Ah, mi dispiace, ma… **io che c'entro?** Mandale un sms, una mail, io non so come aiutarti…

n. ___ *Paolo:* E perché ti attacca il telefono?

n. ___ *Ugo:* Paolo, **hai cinque minuti?**

n. ___ *Ugo:* Il solito problema con Giovanna, la chiami tu da parte mia? Non mi risponde, **mi attacca il telefono**.

n. ___ *Paolo:* No, guarda, a me non va di **essere messo in mezzo** in queste cose… mi dispiace.

n. ___ *Paolo:* Sì, ma **che problema c'è?**

n. ___ *Ugo:* Perché abbiamo litigato, non vuole più vedermi.

n. ___ *Ugo:* Dovresti solo dirle da parte mia che **non me ne importa niente**, anche se è stata molto dura con me, io sono pronto a perdonarla, voglio solo stare con lei…

---

2 **Completa le frasi con le espressioni della lista.**

io che c'entro	che problema c'è	hai cinque minuti	essere messo in mezzo

vi va	te la senti	ce la faccio	non me ne importa niente	mi attacca il telefono

1. Ragazzi, _____ di andare al cinema stasera?
2. Camilla, _____ di lavorare anche nel week end? Dobbiamo prepararci per l'incontro della prossima settimana.
3. No, guarda, non invitare a cena anche Gaia, non _____ a sopportarla.
4. Allora, quando _____ fatti sentire, ti devo dire una cosa.
5. Quando chiamo l'ufficio qualcuno risponde e poi _____. Che maleducati!
6. Gianni, la professoressa di italiano mi ha mandato a chiamare, vuole parlarmi di te, ma perché? _____?
7. Il capo oggi se l'è presa con me… ma _____? Non è compito mio risolvere questi problemi.
8. Sì, è vero, mi avevate avvertito che Andrea è pieno di donne… Ma in realtà _____, mi piace lo stesso.
9. In classe mi prendono in giro… Ogni giorno è uno scherzo… e pensare che io odio _____.

11 *Stare* + gerundio e *stare per*

1 Completa con la forma *stare* + gerundio, come nell'esempio. Poi scrivi in che luogo si trova Giulia in ognuna delle tre descrizioni.

> **a. Castello di Fenis, Valle d'Aosta**

> **b. Mausoleo di Galla Placidia, Ravenna**

> **c. Piazza di Spagna, Roma**

Giulia è in un luogo pieno di splendore… È seduta su un gradino di una grande scalinata e *(mangiare)* ___sta mangiando___ un panino. C'è un gruppo di ragazzi che *(ballare)* _____, uno di loro *(suonare)* _____ un tamburo. Accanto a lei una coppia di turisti *(scattare)* _____ delle fotografie. Fa molto caldo e nella piazza in fondo alla scalinata alcune persone *(fare)* _____ il bagno nell'acqua di una grande fontana barocca a forma di barca. Intorno alla piazza c'è chi *(fare)* _____ shopping, chi *(bere)* _____ qualcosa, chi *(sedersi)* _____ all'ombra. Ma… attenzione, *(arrivare)* _____ dei vigili… Forse non si può fare il bagno nella fontana!

1 -_____

Giulia è in un luogo pieno di storia in mezzo alle Alpi… Si trova in una grande sala con mobili medievali ben conservati. Un turista *(fotografare)* _____ i dipinti gotici affrescati sulle pareti. Dei ragazzi seduti per terra li *(copiare)* _____ sui loro album da disegno. Una signora, probabilmente la professoressa, li *(controllare)* _____. Fuori dalla finestra alcune persone *(sdraiarsi)* _____ su un prato e un gruppo di visitatori *(camminare)* _____ sulle mura merlate.

2 -_____

Giulia è in un luogo pieno di mistero vicino al mar Adriatico… *(Ammirare)* _____ degli splendidi mosaici* alle pareti. Una guida *(descrivere)* _____ il monumento a un gruppo di turisti americani. Un signore *(guardare)* _____ il mosaico del soffitto e *(dire)* _____ una preghiera. Una coppia *(ascoltare)* _____ le spiegazioni da un'audioguida.

3 -_____

*mosaici: composizioni pittoriche ottenute con pezzetti di vetro o di pietra.

2 Completa le frasi con i verbi della lista e indovina dove sono andati in vacanza Mauro, Valeria e Maria. Metti una X vicino alla risposta corretta.

> stanno per fare   stiamo per perdere   stanno per chiudere
>
> state per assaggiare   sta per piovere   sto per uscire

1. Ragazzi, attenzione, chiudete gli occhi: _____ una delle specialità della regione, il maialino arrosto!

2. Guarda, _____ di casa, aspettami in spiaggia, arrivo tra qualche minuto.

3. Sono le cinque, ormai gli scavi archeologici _____, andiamo a fare shopping?

4. Sbrigatevi! _____ il traghetto!

5. _____ i fuochi d'artificio! Se fate presto li vedete.

6. Oggi niente mare, _____. Andiamo in qualche museo?

> ☐ *in montagna, a Cortina*   ☐ *al mare, a Cagliari*   ☐ *in città, a Firenze*

3 Completa le didascalie dei disegni e scegli in quali frasi usare *stare* + gerundio o *stare per*, come nell'esempio.

1. *Dei ragazzi (prendere)*
stanno per prendere
gli strumenti.

2. *Dei ragazzi (suonare)*
stanno suonando
gli strumenti.

3. La famiglia Rossi
(andare) _____
al mare.

4. La famiglia Rossi
(fare) _____
il bagno.

5. Giacomo e Franca *(mettersi)*

_____

la crema solare.

6. Giacomo e Franca *(spalmarsi)* _____ la crema solare.

7. Davide *(tuffarsi)* _____ nella piscina.

8. Davide *(nuotare)*

_____

nella piscina.

9. La mamma *(preparare)*

_____

i panini.

10. Tutti *(fare)*

_____

un picnic.

11. Angela *(entrare)*

_____

in un bar.

12. Angela *(bere)*

_____

un tè freddo.

1 Risolvi gli anagrammi e trova i nomi dei cibi. Poi collega le espressioni alle definizioni corrette, come nell'esempio.

1. Essere un pezzo di *(n-pa-e)* _pane_
2. Sono *(li-vo-ca)* _____ amari.
3. Essere pieno come un *(o-uo-v)* _____.
4. Avere le mani di *(ri-tta-co)* _____.
5. Andare a tutta *(bi-ra-r)* _____.
6. Rimanere come un *(car-o-ci-fo)* _____ .

a. Essere completamente pieno.
b. Andare molto veloce.
c. Sono grossi problemi.
d. Non riuscire a tenere le cose in mano.
e. Essere incapace di reagire.
f. *Essere una persona molto buona.*

1 _f_ - 2 ____ - 3 ____ - 4 ____ - 5 ____ - 6 ____

2 A quali modi di dire dell'esercizio 1 si riferiscono i disegni?

a. _____

b. _____

c. _____

3 Trova le frasi in cui le espressioni sono usate in modo improprio.

1. essere un pezzo di pane

☐ **a.** Ieri ho parlato con Giuseppe e gli ho detto tutto quello che penso di lui! Così finalmente ha capito che anch'io *sono un pezzo di pane*!

☐ **b.** Marta è una persona molto gentile, *è* proprio *un pezzo di pane*, sempre pronta ad aiutare tutti.

☐ **c.** Anna è molto capricciosa, ma ha trovato Carlo che *è un pezzo di pane* e la accontenta sempre nei suoi capricci!

2. sono cavoli amari

☐ **a.** Ha detto di aver finito il lavoro ed è uscito prima, di nascosto; quando se ne accorgerà il capo, *saranno cavoli amari* per Piero.

☐ **b.** Se parli al telefonino in macchina ormai *sono cavoli amari*: fanno delle multe altissime.

☐ **c.** Dopo questa bella notizia vedrai che da oggi *saranno cavoli amari*: le cose andranno benissimo e finalmente potrai toglierti qualche soddisfazione.

3. essere pieno come un uovo

☐ **a.** Andiamo a fare una passeggiata, *sono pieno come un uovo*, ho mangiato troppo.

☐ **b.** La macchina *è piena come un uovo*, non possiamo più metterci niente.

☐ **c.** Lucia è un po' ingrassata: *è piena come un uovo*.

4. avere le mani di ricotta

☐ **a.** Non sa proprio disegnare, *ha le mani di ricotta*, non è capace nemmeno a colorare!

☐ **b.** Ha rotto due bicchieri e quattro piatti, *ha* proprio *le mani di ricotta*.

☐ **c.** Papà *ha* proprio *le mani di ricotta*: gli cadono le chiavi, gli cade il giornale, gli cade l'ombrello…

5. andare a tutta birra

☐ **a.** *Sono andato a tutta birra* perché ero in ritardo a quell'appuntamento.

☐ **b.** Stasera non bere troppo, *non andare a tutta birra*, ti fa male!

☐ **c.** Ma guarda questi sciatori, *vanno a tutta birra* anche se hanno appena iniziato a sciare. Che coraggio… o che incoscienti!

6. rimanere come un carciofo

☐ **a.** Quando Simonetta gli ha detto che era innamorata di lui, *è rimasto come un carciofo*: non ha saputo dire nulla.

☐ **b.** Aveva visto due ragazze chiedere aiuto, ma lui non ha saputo cosa fare, *è rimasto come un carciofo*, non ha nemmeno telefonato alla polizia.

☐ **c.** Le piace molto ballare e si muove anche molto bene, *rimane come un carciofo*, tutti aspettano che lei apra le danze.

Grammatica

1 Completa con l'ausiliare *essere* o *avere*. Poi collega le frasi della prima colonna con quelle della seconda colonna, come nell'esempio.

a. _Ho_ viaggiato molto quando ero all'università.

b. Andrea _____ vissuto molti anni in Giappone e in Algeria.

c. L'anno scorso (voi) _____ comprato quella casetta vicino al mare.

d. (Noi) _____ partiti all'alba con il camper per fare presto.

e. Per arrivare al museo _____ camminato tanto e sono stanchissimo.

f. Questo weekend _____ venuti in Umbria con noi anche Irene e Bernardo.

g. Io e Paola ci _____ conosciuti in Cile.

h. Quando stavamo a Londra _____ uscite con dei ragazzi francesi.

1. Mi sembra che si siano divertiti.

2. C'era sciopero degli autobus.

3. Eravamo tutti e due in vacanza.

4. Casa sua è piena di ricordi dei suoi viaggi.

5. Ci andate in vacanza quest'estate?

6. Con uno ci sentiamo ancora qualche volta.

7. Ma alle 3 non eravamo ancora arrivati per il traffico.

8. *Ma da quando lavoro ho pochi giorni di ferie ed è più difficile.*

2 Scegli la forma corretta dei verbi al passato prossimo. Le lettere che corrispondono alle risposte corrette formano il nome dell'isola più grande d'Italia.

1. I ragazzi sono andati in discoteca e **si hanno svegliato (L)/si sono svegliati (S)** tardi.

2. Ieri **sono andato (A)/ho andato (I)** all'aeroporto a prendere degli amici che vengono in vacanza a Bologna.

3. (Tu) **Hai visto (R)/Sei visto (F)** l'ultimo film di Nanni Moretti?

4. C'è stato un problema con l'acqua e **non ci abbiamo lavato (U)/non ci siamo lavati (D)** per due giorni.

5. La scorsa settimana i miei cugini **sono venuti (E)/hanno venuto(I)** a visitare Firenze.

6. L'aereo per Cagliari è stato cancellato e i turisti che dovevano andare in vacanza si **hanno arrabbiato (B)/si sono arrabbiati (G)** moltissimo.

7. Questo spettacolo **mi è piaciuto (N)/mi ha piaciuto (M)** molto e voglio vederlo un'altra volta.

8. (Loro) **Hanno ricevuto (A)/Sono ricevuti (I)** un messaggio da casa e sono dovuti rientrare perché la mamma si sentiva male.

L'isola è la ____ ____ ____ ____ ____ ____ ____ ____.

3 Completa il testo con l'ultima lettera del participio passato.

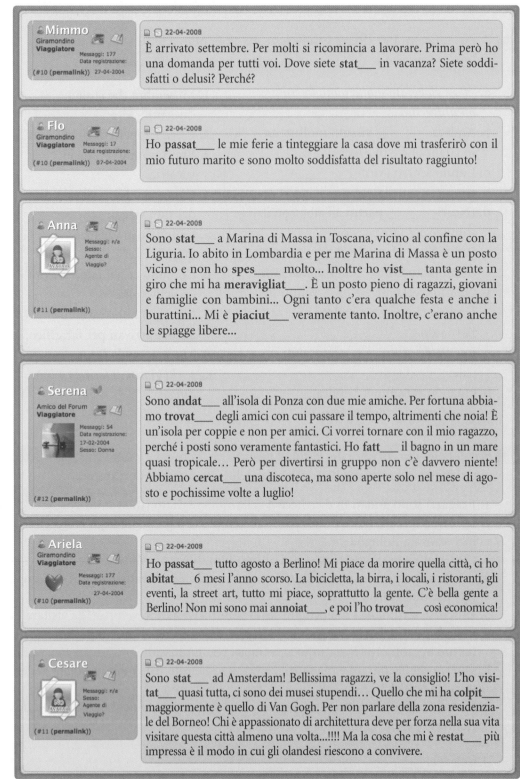

Mimmo
Giramondino
Viaggiatore
Messaggi: 177
Data registrazione:
(#10 (permalink)) 27-04-2004

□ 🗋 22-04-2008

È arrivato settembre. Per molti si ricomincia a lavorare. Prima però ho una domanda per tutti voi. Dove siete **stat___** in vacanza? Siete soddisfatti o delusi? Perché?

Flo
Giramondino
Viaggiatore   Messaggi: 17
Data registrazione:
(#10 (permalink)) 07-04-2004

□ 🗋 22-04-2008

Ho **passat___** le mie ferie a tinteggiare la casa dove mi trasferirò con il mio futuro marito e sono molto soddisfatta del risultato raggiunto!

Anna
Messaggi: n/a
Sesso:
Agente di
Viaggio?
(#11 (permalink))

□ 🗋 22-04-2008

Sono **stat___** a Marina di Massa in Toscana, vicino al confine con la Liguria. Io abito in Lombardia e per me Marina di Massa è un posto vicino e non ho **spes___** molto... Inoltre ho **vist___** tanta gente in giro che mi ha **meravigliat___**. È un posto pieno di ragazzi, giovani e famiglie con bambini... Ogni tanto c'era qualche festa e anche i burattini... Mi è **piaciut___** veramente tanto. Inoltre, c'erano anche le spiagge libere...

Serena
Amico del Forum
Viaggiatore
Messaggi: 54
Data registrazione:
17-02-2004
Sesso: Donna
(#12 (permalink))

□ 🗋 22-04-2008

Sono **andat___** all'isola di Ponza con due mie amiche. Per fortuna abbiamo **trovat___** degli amici con cui passare il tempo, altrimenti che noia! È un'isola per coppie e non per amici. Ci vorrei tornare con il mio ragazzo, perché i posti sono veramente fantastici. Ho **fatt___** il bagno in un mare quasi tropicale... Però per divertirsi in gruppo non c'è davvero niente! Abbiamo **cercat___** una discoteca, ma sono aperte solo nel mese di agosto e pochissime volte a luglio!

Ariela
Giramondino
Viaggiatore
Messaggi: 177
Data registrazione:
27-04-2004
(#10 (permalink))

□ 🗋 22-04-2008

Ho **passat___** tutto agosto a Berlino! Mi piace da morire quella città, ci ho **abitat___** 6 mesi l'anno scorso. La bicicletta, la birra, i locali, i ristoranti, gli eventi, la street art, tutto mi piace, soprattutto la gente. C'è bella gente a Berlino! Non mi sono mai **annoiat___**, e poi l'ho **trovat___** così economica!

Cesare
Messaggi: n/a
Sesso:
Agente di
Viaggio?
(#11 (permalink))

□ 🗋 22-04-2008

Sono **stat___** ad Amsterdam! Bellissima ragazzi, ve la consiglio! L'ho **visitat___** quasi tutta, ci sono dei musei stupendi... Quello che mi ha **colpit___** maggiormente è quello di Van Gogh. Per non parlare della zona residenziale del Borneo! Chi è appassionato di architettura deve per forza nella sua vita visitare questa città almeno una volta...!!!! Ma la cosa che mi è **restat___** più impressa è il modo in cui gli olandesi riescono a convivere.

da *http://it.answers.yahoo.com*

4 Completa il testo con i verbi al passato prossimo.

Diario delle vacanze: la new holiday

Caro diario: io, mamma, papà, nonno e i miei fratelli *(partire)* _____ per le vacanze. Da quando papà *(cominciare)* _____ a leggere tutte quelle riviste sulle "new holidays", *(diventare)* _____ un altro. "Faremo le ferie evitando qualsiasi forma di inquinamento e danno alla natura" *(dire)* _____. Non potevamo partire in auto, per evitare il traffico e lo smog, neanche con l'aereo, perché inquina acusticamente, così *(scegliere)* _____ il treno.

Martedì

Il viaggio verso il mare *(essere)* _____ lungo. *(Rimanere)* _____ bloccati sotto la solita galleria, ma papà *(prendere)* _____ dalla borsa ecologica quattro maschere antigas. Poi ci *(insegnare)* _____ un tipo di respirazione rilassante che i monaci tibetani usano quando restano bloccati in un treno italiano. Gli altri mangiavano pane e prosciutto, formaggio e cioccolata, noi invece *(mangiare)* _____ delle tavolette di soia. Nonno non le ha volute mangiare, *(fare)* _____ finta di non avere fame. Papà lo *(capire)* _____, e *(scoprire)* _____ che nonno aveva un panino al salame nascosto nella giacca. *(Noi - Arrivare)* _____ con solo nove ore di ritardo e *(prendere)* _____ un altro treno, un treno a vapore perché papà ci *(spiegare)* _____ che questi treni non inquinano. In quel momento una nuvola di polvere nera *(entrare)* _____ e quando *(scendere)* _____ sembravamo la squadra nazionale del Camerun.

Mercoledì

(Noi - Arrivare) _____ e *(piantare)* _____ la tenda. La spiaggia era deserta. Papà si è messo a pescare con le mani perché nel "new fishing" non è corretto affrontare i pesci con armi. Con le mani *(trovare)* _____ un preservativo, una busta di plastica, poi *(gridare)* _____ perché si era fatto male, e *(medicarsi)* _____ con una pomata naturale della "New medicine". Intanto il nonno *(tornare)* _____ dal mercato con un pesce da un chilo, e *(cominciare)* _____ ad arrostirlo. Papà gli *(chiedere)* _____ come poteva piacergli quel pesce surgelato e scongelato e il nonno *(mettersi)* _____ a ridere. La sera *(presentarsi)* _____ il problema delle zanzare. Ucciderle è un danno all'ecosistema, ma quando pizzicano… Nonno proponeva di ammazzarle con lo spray, la mamma di schiacciarle con l'ammazzamosche, io ancora più moderato di catturarle e rieducarle. Mentre era in corso il dibattito, *(arrivare)* _____ anche vespe, formiche e mosche.

Liberamente adattato da Stefano Benni, *Il dottor Niù*, Feltrinelli, 2004

5 Completa le frasi formando il passato prossimo dei verbi (coniugando l'ausiliare corretto o il participio passato) e completa il cruciverba, come negli esempi.

Orizzontali →

1. Ieri *(vincere)* abbiamo ___vinto___ la partita.
3. L'estate scorsa noi *(fare)* ___abbiamo___ fatto un viaggio in bicicletta.
4. *(Essere)* Sono _____ felice di partire per le vacanze. Ero sfinito.
8. Giacomo *(chiudere)* ha _____ le finestre perché faceva freddo.
11. Ieri *(leggere)* ho _____ un articolo interessante sul giornale.
12. Che cosa *(decidere)* ha _____ di fare per le vacanze? Viene con noi?
13. Ieri ho avuto una giornata terribile! Non *(avere)* _____ avuto un minuto libero.
16. *(Prendere)* Ha _____ papà le valigie, possiamo andare.
17. Quando sono caduti dalla bicicletta *(piangere)* hanno _____.
18. Per la vacanza in montagna non *(spendere)* abbiamo _____ molto.
19. I turisti *(arrivare)* _____ arrivati alle tre.
20. Che cosa *(scegliere)* avete _____, mare o montagna?

Verticali ↓

1. *(Vedere)* Avete _____ la mostra sugli impressionisti?
2. Purtroppo *(finire)* abbiamo _____ le ferie! Ormai lavoriamo fino a Natale.
5. E voi cosa *(comprare)* _____ comprato?
6. Cosa *(dire)* ha _____ la guida del museo?
7. Ieri *(fare)* abbiamo _____ un bel giro in barca.
9. Giorgia *(decidere)* _____ deciso di trasferirsi all'estero.
10. Che cosa *(succedere)* è _____ ieri in discoteca?
13. Le ragazze *(organizzare)* _____ organizzato uno spettacolo bellissimo.
14. Carola è molto divertente, *(ridere)* ho _____ molto con lei sabato sera.
15. Erano in ritardo e *(correre)* hanno _____ per arrivare al treno in orario.

Lessico

1 Inserisci le parole della lista al posto giusto e ricostruisci le espressioni. Aiutati con il significato.

di condominio	escluse	a piano terra	di casa
d'epoca	nel verde	immobiliari	d'affitto

annunci	_____	brevi testi per vendere, comprare, affittare case
appartamento	_____	appartamento a livello della strada
palazzo	_____	edificio antico con uno stile architettonico preciso
amministratore	_____	persona che gestisce un edificio composto da tanti appartamenti
affaccio	_____	finestre da dove si vedono alberi o prati
proprietario	_____	persona che ha una casa e la vende o la dà in affitto
contratto	_____	accordo scritto fra il proprietario e chi prende in locazione una casa
spese	_____	quando le spese per i servizi si pagano separate e in più rispetto alla cifra mensile

2 Completa il testo con le espressioni della lista in basso.

Ciao Sonia,

purtroppo sono di nuovo senza casa. Avevo trovato un _____, vicino alla stazione e all'università, aveva anche un piccolo giardino. E dalla parte della camera da letto c'era un bell'_____ su un grande prato. Molto carino. Costava abbastanza poco, 600 euro al mese, così mi aveva detto il _____ e così c'era scritto nel _____. Ma io, quando sono andata a firmare il contratto, ho visto che c'era scritto anche "_____" e... a un certo punto ho scoperto che, oltre all'acqua, alla luce, al gas, dovevo pagare tantissimo per le spese del condominio, perché l'appartamento è in un _____. Quindi si spende tanto per la pulizia ecc... Ho parlato anche con l' _____, ma non c'è stato niente da fare. Insomma, alla fine l'appartamento mi costava 1000 euro e per una studentessa è veramente troppo. Così, eccomi di nuovo a guardare gli _____ ... Che stress! Devo dare due esami a fine mese e vorrei sistemarmi prima. Se senti di qualche appartamento libero anche da dividere con altre persone mi fai sapere? Ti ringrazio, a presto.

Luisa

appartamento a pianoterra	proprietario di casa	annunci immobiliari

amministratore di condominio	spese escluse	contratto d'affitto

affaccio nel verde	palazzo d'epoca

Grammatica

1 Completa con la preposizione corretta. Attenzione: in ogni paragrafo c'è sempre uno spazio in più. Poi scrivi i numeri dei paragrafi vicino ai titoli corrispondenti.

Tiziano Terzani: giornalista, scrittore e reporter

1. Tiziano Terzani nasce il 14 settembre del 1938 _____ Firenze. _____ 17 anni conosce Angela Staude, sua moglie. Nel 1969 nasce il primo figlio Folco e nel 1971 la figlia Saskia.
Si laurea _____ lode in Giurisprudenza. Studia _____ New York storia e lingua cinese, poi va a vivere _____ Singapore. Diventa _____ corrispondente dall'Asia e lo sarà _____ 30 anni.

a
a
a
a
con
per

2. Racconta la guerra _____ Vietnam, poi passa un lungo periodo _____ Cina, fino a quando, mentre si trova _____ Pechino, viene espulso _____ le sue idee. Va quindi _____ Mosca, dove _____ assiste al crollo dell'impero sovietico.
Nel 1995, _____ India, esce il suo capolavoro: *Un indovino mi disse*, libro che ha un grande successo di critica e di pubblico.

a
a
in
in
in
per

3. Dopo gli attentati dell'11 settembre, pubblica il libro *Lettere contro la guerra* che, per i suoi contenuti forti, viene rifiutato _____ tutti gli editori _____ lingua anglosassone. _____ contrastare questa "censura", Terzani paga la traduzione del libro e la rende disponibile _____ gratuitamente _____ internet.

da
di
per
su

4. Nel 2002 inizia l'impegno civile _____ il libro dal titolo *Regaliamoci la pace*, in cui intervista uomini di cultura e spettacolo italiani, _____ cui il Nobel Dario Fo. Sulla stessa linea è il film documentario dal titolo: *Tiziano Terzani. Il kamikaze della pace*, _____ cui racconta la sua vita, la guerra e i valori _____ pace e civiltà _____ che l'uomo sta dimenticando.

con
di
in
tra

5. Nel marzo 2004 pubblica *Un altro giro di giostra*, dove parla _____ sé, della sua malattia e _____ come vede il mondo. Prima di morire _____ raccoglie i suoi pensieri _____ un lungo dialogo diario _____ il figlio, dal titolo *La fine è il mio inizio*, pubblicato nel 2006.

con
di
di
in

da *www.tizianoterzani.com*

titoli	paragrafo n°
a. Un libro e un video per la pace	_____
b. Testimone del mondo che cambia	_____
c. L'ultimo messaggio di Terzani	_____
d. Le origini, gli studi e la famiglia	_____
e. Storia di un libro censurato	_____

2 Scegli la preposizione e scopri di quale grande viaggiatore parla il testo.

Nasce **a/di/da** Venezia nel 1254, **da/in/di** una famiglia nobile. Nel novembre del 1271 parte **con/tra/da** il padre e lo zio **per/da/di** la Cina, **con/in/per** dei regali e una lettera **da/di/con** parte del papa Gregorio IX. I tre mercanti arrivano **a/per/da** Khanbalik (l'attuale Pechino) dopo trenta mesi **di/per/con** viaggio e vengono ricevuti **con/da/su** grandi onori dalla corte imperiale. Il Gran Khan nomina il giovane viaggiatore come suo consigliere personale e gli permette **di/a/da** conoscere **a/di/tra** fondo la storia, i costumi, le tradizioni e le lingue dei popoli asiatici.

Nel 1292, dopo diciassette anni, **su/con/di** 600 uomini imbarcati **per/tra/su** sedici navi, ritorna **in/da/di** patria, **a/per/su** Venezia, dove porta vari beni dal lontano Oriente, **tra/di/su** i quali gli spaghetti, varie spezie come il pepe nero e lo zafferano e tessuti preziosi.

Nel 1298 viene imprigionato **in/da/con** una battaglia navale contro i genovesi. **In/Con/Per** prigione scrive *Il milione*. Questo libro racconta le meraviglie del suo viaggio in Cina e **per/con/di** molto tempo è la fonte principale **di/da/in** informazioni sull'Asia orientale.

Nel 1324 lascia **per/da/in** sempre questo mondo. **Tra/Con/Su** tutti coloro che hanno compiuto viaggi **di/tra/in** terre sconosciute, dopo i Fenici, i Greci, i Romani, gli Arabi e i Vichinghi, lui resta uno **tra/di/con** i personaggi più famosi nell'esplorazione geografica del mondo.

Se non hai ancora capito chi è risolvi questo anagramma e avrai la risposta.

COMAR LOPO è _____ _____ _____ _____ _____

13 Espressioni di routine

1 Metti in ordine il dialogo, come nell'esempio.

n. __ *Enrico:* Perché ti vengono dei dubbi? Se sei stufo, mi sembra una buona possibilità.

n. __ *Enrico:* Senti, ci sono occasioni che capitano una sola volta nella vita, lo sai, no? Io **se fossi in te** accetterei, poi quando torni **si vedrà**, con l'esperienza che avrai fatto vedrai che qualcosa troverai.

n. __ *Mauro:* Dunque… Lunedì scorso **mi ha fatto uno squillo** Giancarlo e mi ha detto che **ha fatto il mio nome** al suo direttore per un lavoro all'estero…

n. __ *Mauro:* Sì, sì, ma aspetta, **non è finita.** Allora, un paio di giorni dopo ho parlato con il direttore di Giancarlo e mi ha confermato l'offerta. Si tratterebbe di andare a fare dei corsi di formazione in paesi orientali e nordafricani, in Giappone o in Tunisia, per esempio. Con un contratto di tre anni. Pagato benissimo. Ma vorrebbe dire che devo lasciare il mio lavoro… E non so **se è il caso**… Cioè… io **non ne posso più** del mio lavoro ma…

n. __ *Enrico:* Ah, un lavoro all'estero, può essere una bella cosa…

n. _1_ *Mauro:* Ehi, Enrico, ci sono grosse novità per il mio lavoro! **Non ci crederai** ma forse è **la volta buona** che succede qualcosa di decisivo nella mia vita e lascio quell'ufficio che non sopporto più!

n. __ *Mauro:* Eh sì, è vero… Ma **il fatto è che** il lavoro che ho è sempre una sicurezza. Sono molto tentato di accettare la proposta, perché ho proprio bisogno di un cambiamento, ma penso anche: e se poi fra tre anni torno e non trovo niente? Che faccio?

n. __ *Enrico:* Ah, e dimmi, quali sono queste novità?

2 **Completa le frasi con le espressioni della lista.**

non ne posso più   se è il caso   mi ha fatto uno squillo   è la volta buona

se fossi in te   non ci crederai   si vedrà   ha fatto il mio nome

non è finita   il fatto è che

1. Per fortuna che i vicini di casa se ne vanno! _____
   di tutto il caos che fanno!

2. Guarda, _____ cercherei di prendermi una bella
   vacanza. Sei troppo stanco.

3. Mio fratello _____: sta per arrivare.

4. Senti, so che Giulio _____ per quel progetto, ma io
   sono molto occupato, non posso.

5. Dai, forse _____ che riusciamo a vederci la partita
   insieme. Restiamo d'accordo per le sette, allora?

6. Avete visto che bella cenetta vi ho preparato? Ma _____
   ragazzi, oggi ho fatto anche la torta!

7. Senti, ho una notizia su Davide: _____ ma si
   sposa a giugno.

8. Alessio non ha ancora deciso se iscriversi all'università o andare un anno
   all'estero a studiare una lingua… Va bè, _____,
   c'è ancora un po' di tempo.

9. Che faccio? Non so _____ di portare Irene alla
   cena, stasera. Sai, Lucia non l'ha invitata, forse si è dimenticata o forse Irene le
   sta antipatica.

10. Io credevo di essere innamorata di Antonio. _____
    da quando ho scoperto che Andrea è interessato a me non capisco più niente!

Grammatica

1 Collega le domande alle risposte, <u>sottolinea</u> il pronome diretto nella colonna di destra e scrivi a cosa si riferisce, come nell'esempio.

1. *Hai un libro di ricette della cucina toscana?*
2. Dove fai la spesa?
3. Perché ti portano le verdure a casa?
4. Come hai cucinato questi spaghetti alle vongole? Sono buonissimi…
5. Come stabilisci il menu quando hai ospiti?
6. Sai fare le uova in camicia?
7. Ti piace il vino bianco?

a. Sì, di solito lo bevo d'estate con cibi leggeri o col pesce. _____

b. Lo decido in base alla stagione e ai prodotti freschi che trovo al mercato. _____

c. *Sì, è nella libreria, <u>lo</u> aveva comprato mia sorella.* → *il libro*

d. Perché le ordino alla Coop, su internet. Il servizio è gratis e si chiama *La spesa che non pesa.* _____

e. Li ho fatti con la ricetta di mia mamma che è napoletana. _____

f. No, le ho fatte tante volte ma si sono sempre rotte! _____

g. Di solito la faccio al supermercato; per cose particolari vado al mercato. _____

1 _c_ - 2 ___ - 3 ___ - 4 ___ - 5 ___ - 6 ___ - 7 ___

2 Completa con i pronomi le istruzioni per preparare la bevanda più bevuta dagli italiani. Le lettere che corrispondono alla risposta corretta formano il suo nome.

CONTENITORE CON I BUCHI   PARTE DI SOTTO   PARTE DI SOPRA

- Prendere l'acqua e metter____ nella parte di sotto. le (T) / la (C)
- Prendere la miscela e metter____ nel contenitore con i buchi. la (A) / lo (E)
- Prendere la parte di sopra e la parte di sotto e avvitar____ insieme. li (N) / le (F)
- Accendere il fuoco e metter____ a fiamma bassa. la (G) / lo (F)
- Versare il liquido nelle tazzine, aggiungere lo zucchero e mescolar____. li (È) / le (U)

La bevanda è il ____ ____ ____ ____ ____ .

3 In questo dialogo ci sono molte ripetizioni. Riscrivilo usando i pronomi quando è necessario, come nell'esempio.

Due amici parlano di cucina

Aldo: Hai cucinato le verdure che ti ho comprato al mercato di Campo de' Fiori*?

Anna: Sì, ho cucinato le verdure. Ieri ho fatto la pasta con le zucchine e oggi ho fatto la pasta al forno con la mozzarella e le melanzane.

Aldo: E i carciofi?

Anna: Ho fatto i carciofi alla romana. Ho messo i carciofi crudi con aglio e prezzemolo in una pentola, ho cucinato i carciofi per 20 minuti, poi ho aggiunto un po' di sale e ho messo i carciofi su un piatto con le patate.

Aldo: Le patate? Ma non avevo comprato le patate!

Anna: Sì, ma avevo le patate in casa… sai, quando si cucina conviene sempre avere le patate. Uso le patate con molte altre verdure, stanno bene quasi con tutto! E tu, invece, hai fatto il sugo per la pasta?

Aldo: Sì, ho fatto il sugo, mi sono anche ricordato di usare il pecorino perché ti piace di più del parmigiano.

Anna: Ah grazie, benissimo, allora stasera invitiamo anche Sandro e mangiamo spaghetti al sugo, carciofi, patate e un po' di formaggio.

Aldo: Ma perché, hai comprato il formaggio?

Anna: No, hai comprato tu il formaggio e hai messo il formaggio, con le verdure, nelle buste della mia spesa. Un regalo, no?

Aldo: Eh, non proprio, veramente non avevo comprato il formaggio per te, avevo comprato il formaggio per Sandro.

Anna: Ah, va bene, grazie lo stesso, allora vorrà dire che Sandro mangerà qui, a casa mia, il formaggio che avevi comprato tu per lui!

*Campo de' Fiori: piazza nel centro di Roma nota per un famoso mercato di frutta, verdura e fiori.

Aldo: Hai cucinato le verdure che ti ho comprato al mercato di Campo de' Fiori?
Anna: Sì, **le** ho cucinate.

4 Guarda il disegno e completa le risposte, come nell'esempio.

La sig.ra Rossi torna a casa dal lavoro. Il marito ha preparato la cena ma… la cucina è un disastro: tutto in disordine, non si trova più niente.

1. Dove hai messo la padella?   *L'ho messa*   sul   *frigo*   .
2. Dove hai messo le uova?   _____ nel   _____ .
3. Dove hai messo il coltello del pane?   _____ sul   _____ .
4. Dove hai messo la frutta?   _____ sul   _____ .
5. Dove hai messo i tovaglioli?   _____ sul   _____ .
6. Dove hai messo il sale?   _____ nella _____ .
7. Dove hai messo gli spaghetti?   _____ nella _____ .
8. Dove hai messo il libro delle ricette? _____ sulla _____ .
9. Dove hai messo la brocca dell'acqua?   _____ nello _____ .
10. Dove hai messo le caramelle?   _____ sul   _____ .
11. Dove hai messo i piatti?   _____ nella _____ .
12. Dove hai messo i bicchieri?   _____ nella _____ .
13. Dove hai messo le forchette?   _____ nello _____ .

1 Sostituisci le espressioni *evidenziate* con quelle della lista che hanno lo stesso significato, come nell'esempio. Attenzione: i verbi sono all'infinito.

essere un porto di mare	essere al settimo cielo	mettere al mondo	essere la fine del mondo	essere in alto mare

vedere che aria tira	stare fuori dal mondo	*essere in un mare di guai*	mandare a monte	perdersi in un bicchier d'acqua

1. Questa volta *mi trovo in una situazione problematica* / <u>sono in un mare di guai</u>, non ho studiato quasi niente e domani ho l'esame!

2. Questa casa *è un posto dove c'è gente che va e che viene continuamente* / _____, c'è sempre qualcuno che passa a salutare!

3. Ti prego, non *provocare il fallimento di* / _____ questo affare! È il migliore degli ultimi anni.

4. Chiara *è una persona eccezionale* / _____! Non la lascerò mai!

5. Vai avanti tu e *controlla la situazione* / _____; poi vedrò io come comportarmi.

6. Sono diventato manager! *Sono felicissimo* / _____!

7. Riccardo *vive in una realtà tutta sua* / _____: non ha né macchina, né telefonino e né internet!

8. Fabio è intelligentissimo, ma a volte, nelle cose pratiche, *non sa cosa fare anche davanti ai problemi più semplici* / _____.

9. Nunzia *ha partorito* / _____ due gemelli.

10. *Sono molto lontano dal finire il lavoro* / _____, fra due giorni devo consegnare tutto e ancora non ho finito!

2 A quali modi di dire dell'esercizio 1 si riferiscono i disegni?

a. _____

b. _____

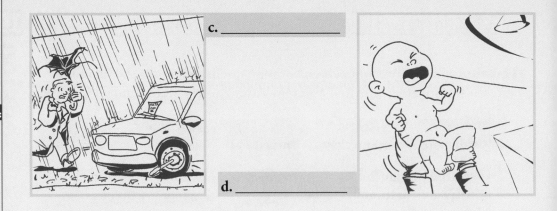

c. _____

d. _____

3 Scegli l'espressione corretta in ogni coppia di frasi.

1. Sono indecisa se andare a casa di Maria e Riccardo, perché ieri avevano litigato e oggi non so quale è la situazione. Devo **vedere che aria tira/essere in alto mare**!

2. Mamma mia, stasera ho dieci invitati e **sono ancora in alto mare/vedo che aria tira.**

3. È bravissimo in matematica, ma a volte **si perde in un bicchier d'acqua/manda a monte** e ha bisogno di aiuto per risolvere il problema!

4. Avevo organizzato una vacanza in barca, ma ho dovuto **mandare tutto a monte/perdermi in un bicchier d'acqua** perché questa settimana non posso lasciare il lavoro.

5. Sono contenta che anche la nuova casa **sia la fine del mondo/sia un porto di mare**, mi piace quando gli amici si sentono liberi di venire!

6. Il nuovo ragazzo di Cristina è **un porto di mare/è la fine del mondo**, è alto e ha anche un bel viso!

7. Giacomo è **in un mare di guai/è al settimo cielo**, ha perso il lavoro e non ha più soldi, nemmeno per pagare l'affitto!

8. **Siamo al settimo cielo/Siamo in un mare di guai**, oggi iniziano le vacanze!

9. Lucia **ha messo al mondo/è fuori dal mondo** una bambina bellissima!

10. Massimo mi ha chiesto di finire il lavoro entro tre giorni, è proprio **fuori dal mondo/mette al mondo**, non si rende conto che per fare tutti questi disegni è necessario almeno un mese!

1 Leggi i testi e inserisci i pronomi *evidenziati* nella tabella al posto giusto, come nell'esempio. Poi scrivi il numero della riga in cui si trovano.

1	Cara mamma, va bene, *tu* dici che i matrimoni nascono e muoiono. Ma perché il **mio** è morto? Ho continuato a pensarci dopo che **ti** avevo scritto, e ho continuato a non capire. Stavamo così bene **io** e **lei** insieme!
5	Parlavamo tanto o almeno parlavo **io**; tutti i miei amici dicono che sono bravo a fare conversazione, anche i **suoi**. So sempre cosa dire su qualsiasi cosa. Perché **lei** invece se ne stava sempre zitta? Eppure parlavo di cose che dovevano interessar**la**: i prezzi del mercato, i mobili della casa, come pulire il pavimento… Gli altri mariti vanno in giro con gli amici, **io**
10	invece non **li** vedevo mai, **le** stavo sempre vicino, anche quando cucinava, **le** davo un grande aiuto. E **lei mi** diceva sempre di continuare da solo, che era stanca e che andava a riposarsi. Preparavo delle ricette fantastiche, ma **lei** non **le** assaggiava perché diceva che non aveva fame. No, proprio non riesco a capire perché **mi** abbia lasciato. Ho deciso che
15	andrò a parlare con sua madre. <div align="right">Ugo</div>
	Caro genero, **ti** scrivo questa lettera per dir**ti** che dopo la tua visita di ieri ho parlato con Agnese. **Le** ho chiesto perché **ti** ha lasciato. **Le** ho detto che sei stato
20	qui con me quattro ore, che **mi** hai raccontato della vostra vita, che mentre parlavi **mi** hai pulito tutta casa, **mi** hai insegnato quel dolce che **ti** avevo sempre chiesto, me l'hai cucinato e me l'hai anche tagliato. Lei **mi** ha detto che se torni a far**mi** visita viene qui con la benzina e brucia tutto l'appartamento. Per cui, **ti** prego, non tornare.
25	<div align="right">Pina</div>

Liberamente adattato da Gianfranco Calligarich, Posta Prioritaria, Garzanti, 2002

*genero: il marito della figlia.

Pronomi personali soggetto	Pronomi personali complemento oggetto diretto	Pronomi personali complemento oggetto indiretto	Pronomi possessivi
tu (2)			

2 Completa il dialogo con i pronomi indiretti.

Dialogo tra Ugo e Agnese

Ugo: Cara, _____ ho detto che stasera viene mia mamma a cena?

Agnese: Sì, _____ hai detto tre volte che viene a cena tua mamma e poi so che viene tutti i mercoledì, non ____ ripetere le cose cento volte perché mi ricordo tutto quello che ____ dici.

Ugo: Hai comprato il pollo dal macellaio?

Agnese: Sì, ____ ho portato il pollo da cucinare ma l'ho comprato al supermercato.

Ugo: Ma guarda che ieri la nostra vicina ____ ha detto che la carne del supermercato non è sicura!

Agnese: Sì, capisco, ma nessuno ____ ha spiegato che quando uno va di fretta non può comprare il pane dal panettiere, la carne dal macellaio, la frutta dal fruttivendolo?

Ugo: Sì, va bene, guarda che ____ ha telefonato Michela e ____ ho chiesto il suo numero.

Agnese: Ma perché ____ hai chiesto il numero di telefono? Ci conosciamo da dieci anni!

Ugo: Perché quando qualcuno ____ cerca chiedo sempre nome, cognome e numero, così puoi ricontattar____.

Agnese: Ma ____ ho detto di fare così quando mi chiama qualcuno per il lavoro, non per tutti! Ma quanto sei strano!

Ugo: No tesoro, non ti arrabbiare! Voglio far____ stare bene, non voglio far____ mancare nulla e voglio solo essere efficiente!

3 Completa le frasi con il pronome diretto o indiretto e poi scegli la lettera *D* (diretto) o la lettera *I* (indiretto), come nell'esempio.

	D	I
1. *Non trovo gli occhiali, dove li hai messi?*	☒	☐
2. Ti ho raccontato di Francesca? ____ ho conosciuta su internet e domani ci vediamo…	☐	☐
3. Abbiamo incontrato Giacomo e ____ abbiamo lasciato i biglietti per la discoteca.	☐	☐
4. Voglio compare un regalo a Ugo per far____ una sorpresa.	☐	☐
5. Ha telefonato ad Angela e ____ ha chiesto di uscire con lui.	☐	☐
6. Non trovano la lettera, dove ____ hai messa?	☐	☐
7. Quando ____ ha vista per la prima volta, gli è piaciuta tantissimo.	☐	☐
8. Ho invitato Davide e ____ ho preparato una bella cena.	☐	☐
9. Ho un anello per Sandra, voglio chieder____ di sposarmi.	☐	☐
10. Abbiamo invitato le ragazze ad una festa e ____ andiamo a prendere alle otto.	☐	☐
11. Perché quando hai incontrato Franca non ____ hai detto di venire a cena con noi?	☐	☐

4 Completa le frasi con il pronome corretto e collega le domande alle risposte, come nell'esempio.

Due amiche parlano dei preparativi per il matrimonio

1. *Paola, hai prenotato la chiesa per il 21 aprile?*
2. ___ ha chiamato il mio amico fotografo?
3. Chi ___ trucca?
4. ___ sei ricordata di invitare tutti i parenti?
5. Dov'è la lista di nozze*?
6. E i fiori per il ristorante?
7. ___ fai vedere il vestito?
8. Come arrivi in Comune?
9. Hai organizzato anche la musica per il ristorante?
10. Come ti senti?

a. Non lo so, penso mia sorella Anna. È bravissima. ___ ha portato dei rossetti bellissimi, ha detto che ___ devo provare tutti e sceglierne uno.
b. ___ abbiamo fatta in un'agenzia di viaggi, ci siamo fatti regalare il viaggio di nozze.
c. Bene, anche se sono emozionantissima. ___ sarai vicina vero?
d. Sì, e ___ ha detto che il 21 è impegnato, ma ___ ha dato il numero di un suo amico, dopo ___ chiamo.
e. Penso di sì, se non ___ ho avvertiti tutti sarà un problema. Devo far___ aiutare da mio zio, lui ha contatti con tutta la famiglia.
f. ___ ho già scelti e le ragazze ___ mettono sul tavolo del buffet.
g. Sì, degli amici suoneranno la musica anni '70 che ___ abbiamo chiesto.
h. ___ viene a prendere papà.
i. Sì, adesso ___ prendo e me lo metto.
l. *No Silvia, _ti_ ho detto che mi sposo in Comune, non è una cerimonia religiosa.*

---

*lista di nozze: lista di regali che gli sposi chiedono ai familiari e agli amici invitati al matrimonio.

1 _l_ - 2 ___ - 3 ___ - 4 ___ - 5 ___ - 6 ___ - 7 ___ - 8 ___ - 9 ___ - 10 ___

Collocazioni • *Venire* e *dire*

1 Associa le parole della lista ai verbi *venire* o *dire*, come nell'esempio.

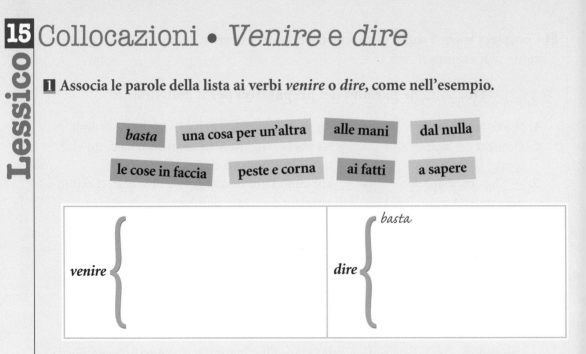

basta   una cosa per un'altra   alle mani   dal nulla

le cose in faccia   peste e corna   ai fatti   a sapere

venire {

dire { basta

2 Collega le frasi alla definizione, come nell'esempio.

1. *Hanno gridato tanto poi sono venuti alle mani.*
2. Era stanco di quella situazione e **ha detto basta**: non sopportava più il suo capo.
3. Quando gli chiedo le informazioni **dice una cosa per un'altra**, si confonde.
4. Mi piace perché è molto sincero, **dice le cose in faccia**.
5. Ogni volta che lo incontro mi **dice peste e corna** di te.
6. Ora **veniamo ai fatti**! Dobbiamo capire quale sia il vero problema!
7. Ha fatto una bella carriera anche se **viene dal nulla**.
8. **Sono venuto a sapere** da tuo fratello che Gianna si sposa.

a. dà risposte sbagliate
b. ho avuto l'informazione
c. affrontiamo la questione in modo concreto
d. *si sono picchiati*
e. è una persona di umili origini
f. parla con sincerità
g. dice cose negative
h. ha deciso di non continuare

1 _d_ - 2 ___ - 3 ___ - 4 ___ - 5 ___ - 6 ___ - 7 ___ - 8 ___

3 Coniuga i verbi e scegli l'espressione corretta in ogni coppia di frasi.

1. Ha molto successo anche se *(venire)* ___viene___ ~~alle mani~~ / *dal nulla*.

2. È andato in ospedale perché, dopo aver discusso, *(venire)* _____ alle mani / dal nulla e si è rotto un braccio.

3. Ho suonato il pianoforte tutto il pomeriggio per esercitarmi. Poi *(dire)* _____ basta / peste e corna e sono andato a fare una passeggiata.

4. Non gli piace lavorare lì, *(dire)* _____ peste e corna / basta di tutto e tutti.

5. *(Io - Venire)* _____ a sapere / ai fatti che vai in vacanza con Alfredo, è vero?

6. Basta con tutte queste parole, devi dire cosa è successo, *(venire)* _____ ai fatti / a sapere!

7. Sono contento che le *(dire)* _____ le cose in faccia / una cosa per l'altra, così capisce che con te non si può scherzare!

8. Non capisco! Gli faccio una domanda e mi *(dire)* _____ le cose in faccia / una cosa per un'altra, non è per niente attendibile!

4 Completa il testo usando una delle espressioni dell'esercizio 1.

MA ALLORA CHE MI DEVI RACCONTARE DI TANTO URGENTE?

GUARDA, FABRIZIO SE N'È ANDATO DI CASA E NON HA NEANCHE AVUTO IL CORAGGIO DI _____! MI HA SCRITTO UNA LETTERA E MI HA LASCIATO.

Particelle *ci* e *ne*

1 Completa il testo con le particelle *ci* e *ne*. Attenzione: c'è uno spazio in più.

Velia, un viaggio nel passato

Conoscete Velia, l'antica Elea costruita dai Greci nel 500 a.C. sulla costa del Cilento*? Non è famosa come Agrigento o Pompei, ma chi l'ha visitata _____ è rimasto affascinato. Nell'antichità era la città dei filosofi. Parmenide, il filosofo che affermava che gli uomini di cultura devono governare gli stati, _____ aveva fondato la sua scuola e anche il saggio Zenone, che si era ribellato al tiranno della città, _____ abitava. Elea era nota in Grecia e a Roma per il buon clima, l'ospitalità e la forza della sua economia. Aveva infatti due porti e una ricca attività commerciale. Oggi è un sito archeologico dall'atmosfera magica. Potete andar_____ nei lunghi pomeriggi estivi dopo essere stati a fare il bagno ad Agropoli o a Palinuro. Vi sembrerà di viaggiare nel passato. I resti degli oggetti di uso quotidiano _____ sono tantissimi. Potete trovar_____ molti sparsi fra l'erba o lungo le stradine e… attenti a non calpestar_____ qualcuno! Organizzate presto il vostro viaggio a Velia. Sicuramente _____ avranno benefici sia la vostra anima che il vostro corpo.

da *www.velia.it*

*Cilento: zona della Campania, a sud di Napoli.

2 Elimina le ripetizioni nelle risposte e riscrivile inserendo le particelle *ci* e *ne*, come nell'esempio. Attenzione: a volte è possibile più di una posizione.

Nicola e Lucia in viaggio

1. *Lucia:* Hai comprato i souvenir per i tuoi genitori?
   Nicola: No, vorrei comprare qualche souvenir oggi.
   Nicola: *No, **ne** vorrei comprare qualcuno oggi/No, vorrei comprar**ne** qualcuno oggi.*

2. *Lucia:* Chi viene al cinema con me stasera?
   Nicola: Vengo io al cinema.
   Nicola: _____

3. *Nicola:* Fai tu le foto? La mia macchina fotografica si è rotta.
   Lucia: Sì, posso fare qualche foto io.
   Lucia: _____

4. *Lucia:* Quando vai a prenotare il ristorante?
   Nicola: Adesso sono stanco. Vorrei andare a prenotare il ristorante più tardi.
   Nicola: _____

5. *Nicola:* Hai preso le cartoline?
   Lucia: Sì, ho comprato una decina di cartoline.
   Lucia: _____

3 Scegli la parola corretta.

Ricette romane di Apicio, gourmet dell'antichità

Una specialità di Apicio era il vino alle rose, detto *rosatum*: "Prendo del vino bianco, **ne/li/ci** metto dei petali di rosa e **ne/li/gli** lascio a bagno sette giorni. **Ci/Gli/Li** tolgo poi dal vino e **ci/ne/le** metto di nuovi, per altri sette giorni. È pronto il *rosatum*. Prima di servir**lo/ci/ne**, **ci/ne/lo** aggiungo del miele".

Apicio è l'ideatore del *fois gras*: "Ingrasso il maiale con la frutta secca e **ci/gli/ne** faccio bere piccole quantità di vino dolce prima di ammazzar**la/ne/lo**. Così **lo/li/ne** ricavo un fegato particolarmente saporito".

Uno dei segreti di Apicio era il *garum*, una salsa piccante che si metteva dappertutto: "Prendo le parti interne del pesce, le mescolo con spezie (**ne/le/ci** metto tutte le spezie che trovo!) e **ne/le/ci** metto al sole per sessanta giorni. Poi prendo il liquido ottenuto e **lo/li/ci** filtro. Ottengo così il *garum*. Bisogna dosar**ne/ci/lo** bene, prender**ne/ci/lo** solo una piccola quantità per arricchire i piatti senza cambiar**ne/ci/lo** il sapore".

Liberamente adattato da M. G. Apicio, *De re coquinaria*

4 Riscrivi il dialogo sostituendo le ripetizioni *evidenziate* con le particelle *ci* e *ne* e facendo i cambiamenti necessari, come nell'esempio.

Luca: Hai mai visitato le tombe etrusche di Tarquinia?

Marco: Sì, e ricordo una ***tomba etrusca*** con un dipinto bellissimo… il dipinto del Cacciatore. Ma è tanto che non vado ***alle tombe etrusche***, vorrei tornare ***alle tombe etrusche***.

Luca: Mio padre è un esperto di tombe etrusche, ha aiutato a scoprire alcune ***tombe etrusche***. Lui è di Tarquinia, abita ***a Tarquinia*** da quando era bambino.

Marco: Ma tuo padre fa l'archeologo?

Luca: No, è solo un appassionato, autodidatta. E poi conosce l'ambiente, sa chi sono i tombaroli, i ladri di tombe, e quando hanno preso un ***tombarolo*** del posto, uno famoso, lui era lì. I tombaroli hanno fatto molti danni alle tombe… Hanno trovato e saccheggiato parecchie ***tombe***.

Marco: E chi è che fa il tombarolo? Persone della zona? Gente specializzata?

Luca: Mah, questo per esempio era un contadino. Ha trovato il primo oggetto per caso, lavorando nel suo campo. Allora si è messo a cercare bene e ha trovato ***nel suo campo*** anche altri oggetti. All'inizio ha trovato solo delle anfore… ha venduto molte ***anfore*** a 500 euro l'una…

Marco: Ah, è un lavoro interessante!

Luca: In un certo senso è affascinante… Pensa che poi ha cominciato a cercare le tombe con ogni mezzo e qualche volta ha trovato alcune ***tombe*** cercando con il metal detector! Ma adesso per fortuna fare queste cose è più difficile, ci sono molti più controlli.

Luca: Hai mai visitato le tombe etrusche di Tarquinia?
*Marco: Sì, e **ne** ricordo **una** con un dipinto bellissimo… il dipinto del Cacciatore.*

Lessico

1 Completa le frasi coniugando i verbi tra parentesi quando necessario, poi collega i modi di dire usati in ogni frase alla loro spiegazione, come nell'esempio.

1. *(Avere)* ___Ho___ **un sogno nel cassetto:** *diventare un'attrice famosa.*

2. Prima avevano un capo autoritario e adesso ne hanno due severi e autoritari: *(cadere)* _____ **dalla padella alla brace.**

3. Aldo non è ricco ma ama *(buttare)* _____ **i soldi dalla finestra.**

4. Come al solito Luigi *(vedere)* _____ **il bicchiere mezzo pieno,** forse è per questo che è sempre di buon umore.

5. Tua figlia non la puoi *(tenere)* _____ **sotto una campana di vetro** tutta la vita. Prima o poi dovrà fare anche lei le sue esperienze!

6. Luigi *(avere)* _____ **un chiodo fisso:** tornare insieme a Laura.

7. Ho capito che mentiva e ho continuato a fargli altre domande. Lui, prima *(arrampicarsi)* _____ **sugli specchi,** poi, alla fine, ha dovuto dire la verità.

a. passare da una brutta situazione ad una peggiore

b. difendersi da accuse con deboli spiegazioni

c. *avere un desiderio segreto*

d. proteggere troppo

e. avere un'ossessione

f. spendere molto in modo irrazionale

g. avere una visione ottimista delle cose

1 _c_ - 2 ___ - 3 ___ - 4 ___ - 5 ___ - 6 ___ - 7 ___

2 A quali modi dire dell'esercizio 1 si riferiscono i disegni?

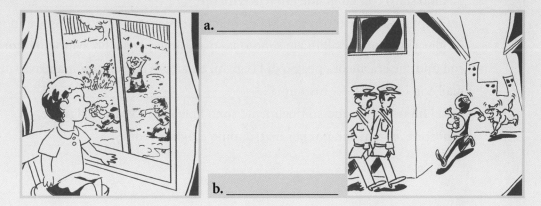

a. _____

b. _____

3 Completa il dialogo con le espressioni della lista.

buttare i soldi dalla finestra

ero caduta dalla padella alla brace

ha il chiodo fisso

ho tanti sogni nel cassetto

si arrampica sugli specchi

teneva sotto una campana di vetro

vedere il bicchiere mezzo pieno

Franca: Come va la vita?

Elisa: Mah, insomma, abbastanza bene. I problemi ci sono sempre, ma io sono il
tipo che sa _____. Guarda, a casa siamo sempre
senza un soldo perché mio marito è perfetto per _____.
È unico, per esempio _____ dei regali…
Regala, regala… A me vestiti, cappelli che non metto mai, gioielli; ai figli
giochi, libri, computer, playstation. E poi ai nipoti, agli amici… Alla nipote
ha appena regalato un weekend a Parigi con il fidanzato. Poi, quando mancano
i soldi, gli chiedo spiegazioni e lui _____.
Ma lo fa solo per amore della famiglia. Quindi, nonostante tutto, gli voglio
molto bene. Lui mi fa sentire amata e adora i nostri figli. Stiamo bene in salute
e tutto sommato mi va bene così.

Franca: Io invece _____ ancora _____! Lo sai,
quando stavo con Luigi non ero felice, lui mi _____,
era troppo possessivo con me! Ma da quando ci siamo separati le cose vanno
meglio… Veramente all'inizio sono stata malissimo perché ho avuto una storia
con uno che era ancora peggio di Luigi: mi chiamava sempre, mi mandava sms,
mail con le sue foto… Insomma, _____!
Così l'ho lasciato e adesso finalmente sono libera. Ora voglio viaggiare,
conoscere, divertirmi, poi per matrimonio e figli si vedrà.

1 Collega i luoghi comuni ai romani o ai milanesi. Poi scrivi delle frasi con la forma impersonale, come nell'esempio.

vanno al lavoro tardi

danno molta importanza alla precisione e alla puntualità

lavorano poco

sono freddi nei rapporti

sono molto dinamici

sono molto pigri

mangiano alle 7 di sera

parlano in modo volgare

I romani

vanno al lavoro presto

mangiano alle 8:30 di sera

I milanesi

scherzano molto

pensano sempre agli affari

vanno spesso in trattoria

passano molto tempo a mangiare in compagnia

pensano solo ai soldi

lavorano molto

a Roma	a Milano
si va al lavoro tardi	

2 Completa il dialogo con la forma corretta dei verbi al presente indicativo. Attenzione: in 5 casi devi usare la forma impersonale.

Andare in montagna

Paolo: Potreste andare al Parco Nazionale d'Abruzzo, è un bel posto e non è troppo affollato.

Susy: Ma, c'è la neve, *(sciare)* _____?

Lucia: Certo, quest'anno c'è molta neve. Noi di solito *(andare)* _____ in un posto che si chiama Villetta Barrea, dove ci sono piste di sci di fondo; quanto è bello sciare! *(Respirare)* _____ a pieni polmoni!

Susy: Ma noi non *(avere)* _____ gli sci...

Lucia: Ci sono molti negozi che li *(affittare)* _____!

Paolo: Tu e Tom da soli *(potere)* _____ fare le piste più lunghe, ma molte *(essere)* _____ adatte anche ai bambini.

Tom: Quando andate lì dove *(dormire)* _____?

Lucia: L'anno scorso siamo andati in un albergo vicinissimo alle piste, però lì non *(mangiare)* _____ molto bene. Io ti consiglio una pensione, si chiama Belvedere. Guarda, lo dicono tutti, non *(spendere)* _____ tanto e *(mangiare)* _____ benissimo... Solo che per andare sulle piste *(dovere)* _____ prendere la macchina.

3 Completa il testo con i verbi alla forma impersonale. I verbi sono in ordine.

Cosa si fa a Padova la sera al tramonto?

Nella ricca e graziosa Padova (ma un po' in tutto il Nord Est d'Italia), quando *(uscire)* _____ dal lavoro e *(trovarsi)* _____ in una nebbiosa serata invernale o in un'afosa serata estiva, non *(tornare)* _____ subito a casa ma *(fermarsi)* _____ in un baretto di Piazza delle Erbe, o *(mettersi)* _____ seduti per terra in Piazza dei Signori con in mano l'amatissimo bicchiere di spritz. Ma cos'è lo spritz? È l'aperitivo che *(usare)* _____ dal periodo della dominazione degli austriaci, ma secondo alcune fonti addirittura dall'epoca romana e medievale. Non un semplice aperitivo, ma il re degli aperitivi. Prima preparato semplicemente con vino veneto e con acqua, poi, con il passare del tempo, secondo la fantasia di chi lo serve, con altri alcolici, come Bitter o Gin; ma la regola fondamentale è che alla fine *(dovere)* _____ ottenere una qualche varietà del colore rosso. Lo spritz non *(potere)* _____ perdere: senza di esso non *(parlare)* _____, non *(incontrarsi)* _____, non *(spettegolare)* _____, non *(divertirsi)* _____. All'ora dell'aperitivo, quando *(uscire)* _____ stanchi dal lavoro e a stomaco vuoto, non c'è niente di meglio di un bicchiere di spritz: *(rilassarsi)* _____ e *(tornare)* _____ a casa con qualche amico in più o forse solo meno stressati.

da *www.spritz.it*

1 Associa le parole della lista ai nomi corrispondenti. Attenzione al maschile / femminile. Alcune parole si possono usare con più nomi.

castano   chiaro   rosso   roseo   basso   alto   corto   pallido

lungo   medio   piccolo   robusto   nero   biondo   marrone   snello

capelli	occhi	carnagione	statura	corporatura

2 Completa le frasi con gli aggettivi corretti. Attenzione al maschile / femminile.

biondo   roseo   castano   chiaro   marrone   lungo   robusto   alto

1. In quella famiglia hanno tutti gli occhi _____: la mamma e i figli azzurri, il padre e la figlia verdi.
2. No, Silvia, non te li tagliare, mi piacciono tanto i tuoi capelli _____!
3. Ha i capelli _____, con qualche riflesso rosso, un bel contrasto con gli occhi chiarissimi.
4. Voglio tornare al mio colore naturale, sono stufa di questa moda dei capelli _____ ossigenati!
5. Secondo me Paola non è abbastanza _____ per giocare a pallacanestro.
6. Corrado è di corporatura _____, ha preso dal padre, è molto muscoloso.
7. Quando è nato aveva gli occhi blu, poi, dopo un po' di mesi, gli sono diventati _____.
8. Cinzia ha una bella carnagione _____... Si vede che adesso sta bene, è guarita.

1 Completa il testo con gli avverbi della lista. I numeri ti suggeriscono due possibilità: scegli quella corretta, come nell'esempio.

soprattutto / velocemente (1 e 13)   sotto / intorno (2 e 9)   a volte / dopo (3 e 12)

specialmente / raramente (4 e 15)   prima / spesso (5 e 14)   a lungo / lontano (6 e 16)

di solito / ancora (7 e 11)   sempre / insieme (8 e 10)

La famiglia italiana

La struttura della famiglia italiana è cambiata e cambia ^{1.} *velocemente*. Nel dopoguerra le famiglie erano ancora "tradizionali", molto numerose e con genitori, figli e nipoti riuniti ^{2.}_____ uno stesso tetto. Gli uomini lavoravano, mentre le donne si occupavano della casa e dell'educazione dei figli.

^{3.}_____ gli anni Sessanta si è affermata la famiglia moderna, composta dai genitori e uno o due figli (^{4.}_____ più di due). Oggi, anche se la classica coppia con figli resiste, c'è un numero maggiore di modelli familiari: molti single; coppie senza figli; coppie omosessuali; single con figli; famiglie allargate con figli nati da diversi matrimoni; figli che ^{5.}_____ del matrimonio vivono ^{6.}_____ con i loro genitori.

Ma queste trasformazioni non hanno ^{7.}_____ cancellato il modello tradizionale. In primo luogo, nella vita quotidiana, le famiglie italiane si riuniscono ^{8.}_____, per almeno un pasto al giorno, ^{9.}_____ allo stesso tavolo. La cena è un momento di dialogo tra genitori e figli e tutti i membri della famiglia hanno la possibilità di stare ^{10.}_____. In secondo luogo, ^{11.}_____ i nonni vivono nella stessa città di uno dei figli e ricevono le cure dei familiari.

^{12.}_____ uno dei nonni, ^{13.} *soprattutto* se è rimasto vedovo o vedova, vive in casa con uno dei figli. Un altro elemento che accomuna la famiglia italiana di oggi a quella del passato è lo stretto legame affettivo che rimane tra i suoi membri. Gli italiani sono, per esempio, ^{14.}_____ pronti ad aiutare i loro parenti, ^{15.}_____ nel campo del lavoro o nelle difficoltà economiche. E anche se vivono ^{16.}_____, i membri di uno stesso gruppo cercano di ritrovarsi tutti insieme per le feste religiose o per ricorrenze familiari.

da *www.italica.rai.it*

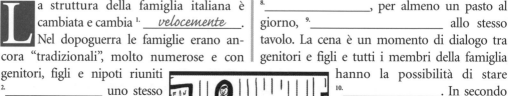

2 Completa le frasi con gli avverbi, scegliendo la posizione corretta, come nell'esempio. Gli avverbi sono in ordine. Attenzione: a volte sono possibili più posizioni.

1. Francesco si è nascosto • alla tenda!   1. *dietro*
2. I figli di Franca vanno sempre a letto, poi la mattina sono stanchi.   2. tardi
3. Quando racconto le storie i bambini ascoltano e poi mi fanno delle domande.   3. attentamente
4. I genitori di Marta si alzano la mattina per andare a lavorare.   4. presto
5. I nonni di Marco e Valerio sono generosi con i loro nipoti.   5. molto
6. A zio Franco piace bere il suo caffè, mentre ascolta le notizie alla radio.   6. lentamente
7. Non mangiare troppo, poi ti viene mal di pancia.   7. velocemente
8. Se fai i compiti a casa, poi a scuola vai male.   8. distrattamente
9. Guarda, le caramelle sono l'armadio, prendiamole!   9. sopra
10. Prima era più basso, non riusciva a salire sulla sedia, è cresciuto e sale da solo.   10. adesso
11. Non posso andare in palestra, ho tempo.   11. poco
12. Di solito ad agosto non resto in città, fa caldo… Se posso vado in montagna.   12. troppo

3 Completa le frasi con gli avverbi che si formano da questi aggettivi, come nell'esempio. Gli aggettivi non sono in ordine.

freddo   frequente   lento   tranquillo   improvviso   difficile   faticoso   violento

1. Tuo fratello mi ha salutato piuttosto _freddamente_ … Gli sto antipatico?
2. Puoi parlare un po' più _____? Non capisco quello che dici.
3. Guido _____ si è alzato e ha detto: "Basta, io me ne vado e qui non ci torno più!".
4. Non c'è fretta, puoi venire _____ alle 8:30. Ti aspettiamo per mangiare.
5. Giacomo ha dato un pugno a Carlo, lo ha colpito _____ perché avevano litigato.
6. Anche se non ci vediamo _____ , io e mio cugino abbiamo un buon rapporto.
7. Hanno caratteri molto diversi, _____ andranno d'accordo.
8. È stato difficile perché avevo molte valigie, ma alla fine sono riuscito _____ a metterle in macchina.

Modi di dire • Colori

1 Sostituisci le espressioni *evidenziate* con quelle della lista che hanno lo stesso significato.

| è andato in bianco | ha il pollice verde | mettere nero su bianco | vede tutto nero |

| sono o bianche o nere | è diventato verde | sono diventato di tutti i colori | sono al verde |

1. È vero che quella di Nicola è una situazione difficile, però lui ogni volta *pensa che le cose andranno male* / _____. Insomma, a volte bisogna essere un po' ottimisti!

2. Lo sai che Luca mi ha raccontato che anche questa volta con Laura *non ha concluso nulla* / _____? C'è rimasto male, sai?

3. Quando il prof. mi ha detto che si era accorto benissimo che avevo copiato tutto il testo, *mi sono vergognato moltissimo* / _____!

4. Eh, no, mi dispiace, non posso prestarti nulla, *non ho più soldi* / _____.

5. Davvero d'ora in poi ci pensi tu a pagare le bollette? Me lo devi *scrivere* / _____.

6. Mirco è un uomo fatto così: pensa sempre che le cose *sono o tutte in un modo o tutte in un altro, senza sfumature* / _____.

7. Ha un giardino meraviglioso, davvero *con le piante è bravissimo* / _____.

8. Quando gli ho detto finalmente tutto quello che pensavo di lui, *si è arrabbiato moltissimo* / _____ dalla rabbia.

2 Due delle frasi seguenti non sono corrette. Quali?

1. Sono in bianco. Non ho più un soldo, devo cercarmi un lavoro.

2. Luca è un vero playboy! Con le donne non va mai in bianco!

3. Non fidarti delle sue promesse, chiedigli di mettere tutto nero su bianco.

4. Oggi non riesco proprio a pensare positivo. Vedo tutto verde.

3 Completa il dialogo con le espressioni della lista. Attenzione: i verbi sono all'infinito.

andare in bianco   essere al verde   avere il pollice verde

essere o bianco o nero   diventare verde   diventare di tutti i colori

■ Mamma mia, che figura ieri!

● Ma con chi? Sempre con Giulia?

■ Sì, sì, sempre con lei, sapessi...

● Non mi dire che _____ un'altra volta!

■ Peggio!!! Stavolta, siccome so che le piacciono le piante e che _____,
l'ho portata in un ristorante elegantissimo, con molte piante esotiche, solo che, al
momento di pagare, mi sono accorto che... _____ !
E non funzionava neanche la carta di credito!

● Non mi dire che hai chiesto i soldi a lei?

■ Ebbene sì, ero imbarazzatissimo, _____ e poi, molto
timidamente le ho dovuto spiegare che doveva pagare lei! Ma mi sono scusato
tantissimo!

● E lei si sarà arrabbiata, perché pensava che pagassi tu!

■ Arrabbiata? Di più, _____ dalla rabbia!

● Penso che la prossima volta che vede il tuo nome sul telefonino neanche ti
risponderà. La conosco bene, Giulia è una persona così rigida, per lei ogni
cosa _____, se fai qualcosa che non le piace ti cancella
dalla sua vita! Non sa capire gli errori... Non uscirà mai più con te!

1 Leggi la prima parte delle trame dei due film e scegli la preposizione articolata corretta.

Le conseguenze dell'amore (2004)

1. Il protagonista **sul/al/del** film, Titta* di Girolamo, è un uomo di cinquant'anni silenzioso e solitario, che passa la maggior parte **del/sul/al** tempo **dell'/nell'/all'** hotel in cui vive, in un'anonima cittadina svizzera. È un personaggio misterioso. Fuma molto e veste con eleganza. Osserva i passanti e gli altri ospiti **dell'/per l'/dall'** albergo. Sicuramente nasconde dei segreti.

*Titta: anche se finisce in –a è un nome maschile (diminutivo di Giambattista).

Caos Calmo (2007)

2. Il protagonista **al/del/nel** film, Pietro Paladini, è un uomo di mezz'età a cui è morta da poco la moglie, proprio **dal/del/nel** momento in cui lui stava salvando la vita di una sconosciuta. Da allora ha promesso **sulla/alla/dalla** figlia di dieci anni, Claudia, di aspettarla con **la/alla/dal** fine tra **le/alle/delle** lezioni seduto **nella/dalla/sulla** panchina davanti **alla/sulla/nella** scuola.

Adesso leggi le parti successive e scegli la preposizione articolata corretta. Ricostruisci le trame dei due film e scrivi in ordine le lettere negli spazi sotto.

a. Ma la sua vita cambia quando capisce di essersi innamorato di Sofia, la dolce cameriera **dal/del/nel** bar **dell'/nell'/dall'** hotel. Si ribella **con la/nella/alla** mafia, ma questo lo porta ad una morte tragica e allo stesso tempo ironica.

c. Finisce per passare moltissimo tempo seduto, in uno stato di immobilità e di calma. E mentre sta **nella/tra la/sulla** panchina, lo vanno a trovare amici e parenti: il fratello, il collega stressato, la nuora nevrotica, il capo **della/nella/per la** società per cui lavora, la donna che ha salvato.

Le conseguenze dell'amore: ___1___ - _____ - _____
Caos calmo: ___2___ - _____ - _____

b. Così, la sua immobilità diventa un lungo momento di riflessione, in cui scopre il lato nascosto suo, **nella/della/sulla** moglie morta, **sugli/degli/agli** amici. Dopo questo cambiamento interiore può ricominciare una nuova vita e dire di sì **tra la/alla/dalla** richiesta **alla/della/per la** figlia che gli domanda di abbandonare la panchina.

d. Lentamente questi segreti si rivelano **allo/nello/sullo** spettatore: lavora per la mafia, riutilizza il denaro sporco servendosi **con le/delle/alle** banche svizzere; si droga una volta **per la/alla/dalla** settimana; **col/al/dal** suo paese ha una moglie e dei figli che non vede mai.

2 Aggiungi gli articoli alle preposizioni, come nell'esempio.

Licia Maglietta, un'attrice completa

Licia Maglietta è un'attrice *(da)* ___dalle___ molte facce, impegnata e lontana *(da)* _____ mondanità, ma anche capace di raggiungere il grande pubblico. Si è occupata di teatro e di cinema. Ha cominciato la sua carriera teatrale *(in)* _____ primi anni Ottanta *(con)* _____ gruppo napoletano d'avanguardia, *Falso Movimento*. Da allora ha scelto sempre accuratamente le persone *(con)* _____ quali lavorare. Insieme *(a)* _____ registi Mario Martone e Carlo Cecchi ha realizzato spettacoli interessanti come *Tango glaciale* e *Ritorno ad Alphaville*. *(Da)* _____ 1995, porta avanti uno spettacolo tutto suo *(su)* _____ esperienza della pazzia e *(di)* _____ manicomio, nato *(da)* _____ incontro con la poetessa Alda Merini: *Delirio amoroso*. *(In)* _____ anni Novanta ha cominciato a dedicarsi molto anche *(a)* _____ cinema, prima con Mario Martone *(in)* _____ film *Morte di un matematico napoletano*, poi recitando *(per)* _____ regista Silvio Soldini. Proprio con Soldini ha avuto il maggior successo *(di)* _____ sua carriera, *Pane e tulipani*, film che l'ha resa popolare e con cui ha vinto il David di Donatello* come miglior attrice. *(In)* _____ 2007 ha lavorato *(per)* _____ televisione, ed è stata protagonista di *Viaggio in Italia*, una serie di ventuno gustosi minifilm "on the road" *(su)* _____ Italia *(da)* _____ nord *(a)* _____ sud, in onda *(a)* _____ fine *(di)* _____ notissimo programma di attualità e politica, *Ballarò*.

*David di Donatello: premio cinematografico italiano, può essere considerato come l'equivalente per il cinema italiano del premio Oscar.

3 Completa le frasi con la preposizione articolata corretta.

1. Valentina viene _____ Calabria.
2. Vado _____ miei genitori con Francesco così sta un po' con i nonni.
3. Davanti _____ stazione c'è la fermata _____ taxi.
4. Ormai sono tanti anni che lavoro a scuola, _____ 1994.
5. Oggi ho nuoto _____ cinque _____ sei.
6. Per favore, metti il vaso _____ tavolo della cucina?
7. Puoi andare _____ mercato a comprare un po' di frutta?
8. Mi sono sposata _____ 2000.
9. Qual è la trama _____ libro che stai leggendo?
10. Vorrei farmi aiutare _____ amico di Tommaso che fa l'avvocato.
11. Andrea vive _____ Stati Uniti.
12. _____ fine _____ film hanno applaudito.
13. Per arrivare a casa mia _____ aeroporto puoi prendere il trenino.
14. Questo quadro lo regalo _____ miei genitori.
15. Mi piacciono da morire gli spaghetti _____ carbonara.
16. _____ angolo _____ strada c'è un'edicola.
17. I calzini rossi sono _____ secondo cassetto.
18. Con lo stipendio che ha non arriva _____ fine del mese.

19 Espressioni di routine

1 Scrivi il numero delle due risposte vicino alla domanda corrispondente, come nell'esempio.

	Risposta
a. Come sta Lorenzo? **È tanto che** non lo sento.	n. _4_ e n. ___
b. **Che ne dici** di andare al mare in campeggio quest'estate? Come facevamo anni fa… ti ricordi?	n. ___ e n. ___
c. Grazie per la telefonata. **Mi ha fatto piacere sentirti.** Organizziamo presto un'uscita?	n. ___ e n. ___

1. Sì, certo, **non vedo l'ora** di rivederti! Se vuoi invito anche qualcun altro… Sicuramente posso telefonare a Paola e Fabio e forse riesco a trovare anche Massimiliano. Ci possiamo vedere a casa mia.

2. Eh no, proprio **non mi sembra il caso…** Abbiamo lavorato una vita come pazzi e poi siamo troppo vecchi ormai. Ho voglia di un bell'albergo con il bagno in camera.

3. Sì, sì, ma parto domani e sto fuori per due settimane, ma quando torno **mi faccio sentire.** Andiamo al ristorante e ti faccio conoscere Alessandra.

4. *Guarda, ci sono rimasto malissimo: da quando si è messo con Elena è sparito. Non chiama, non esce più con noi. Prima ci vedevamo sempre, ma Elena è molto gelosa dei suoi amici.*

5. Ma, non ne ho molta voglia, **a dire la verità** quest'anno non mi va proprio di andare al mare. Molto meglio la montagna!

6. Ma, veramente non lo so. **Non si fa** mai **vivo.** Credo che il lavoro lo assorba tantissimo. L'ultima volta che l'ho sentito mi ha detto che torna a casa sempre alle nove di sera dall'ufficio e non riesce a fare nient'altro.

2 Completa le frasi con l'espressione corretta.

è tanto che	non si fa vivo	ci sono rimasto malissimo
che ne dici	mi faccio sentire	a dire la verità
mi ha fatto piacere	non vedo l'ora	non mi sembra il caso

1. Roberto, _____ di mettere la musica a tutto volume a quest'ora! Abbassa, la gente dorme.

2. Quando Valentina si è fidanzata con mio fratello _____... Ero gelosissimo, lei mi piaceva molto.

3. _____ se ci vediamo in centro, alle otto, per un aperitivo?

4. Senti Marina, _____ volevo chiedertelo: come sta tuo fratello?

5. Andrea _____ da molto tempo... L'ultima volta che ci siamo sentiti abbiamo litigato.

6. La prossima settimana viene a trovarci zio Emilio. _____ ! Non ci vediamo dall'anno scorso!

7. ● Vuoi un'altra fetta di torta?

   ■ _____ sono a dieta, ma non posso resistere.

8. Va bene signora. Allora _____ io: appena è pronto il vestito La chiamo così viene a provarlo.

9. Alfredo ci ha mandato l'invito per il matrimonio. _____: anche se non ci vediamo da tanto tempo siamo molto uniti.

3 Completa il testo con i modi di dire dell'esercizio 1.

20 Pronomi combinati

1 Scegli il pronome corretto.

Regali sbagliati

a. *Il fidanzato e il meteorite**

Anna: E il tuo compleanno come è andato? Che regali hai avuto? Dario si è ricordato di far**glielo/melo/telo** quest'anno?

Chiara: Sì… e **me l'/l'/ve l'**ha dato ieri sera, purtroppo. Quasi quasi era meglio che **te lo/se lo/glielo** dimenticasse!

Anna: E perché? Che cosa ti ha regalato?

Chiara: Ma, guarda, una collana. **Ve l'/Me l'/ Mi** ha fatta montare lui, dice che è una cosa speciale… Il ciondolo è un meteorite che viene dall'Argentina! Ma a me non piace per niente. È brutta, nera, non so con cosa metter**gliela/mela/tela**.

Anna: E non puoi far**vela/sela/gliela** cambiare?

Chiara: Eh no… Ha dovuto fare una ricerca per trovare il meteorite! **Te l'/L'/Ve l'**ha comprato su internet…

Anna: Beh, devi ammettere che si è impegnato questa volta!

Chiara: Sì, ma non fa mai la cosa giusta!

---

*meteorite: parte di corpo extraterrestre roccioso o metallico che colpisce la Terra.

b. *La suocera e l'orologio*

Cinzia: Sai cosa **me l'/mi/me le** ha regalato mia suocera per Natale?

Arianna: Cosa?

Cinzia: Un orologio!

Arianna: No… un orologio no!

Cinzia: E invece sì! Marco **gliel'/gliele/ glieli** aveva detto che io non porto orologi… Ma lei **me le/ me l'/me li** ha voluto regalare lo stesso!

Arianna: Ma dai!

Cinzia: Lei è una persona molto precisa e non sopporta quando arrivo in ritardo. È un regalo simbolico! Lei è fatta così, è gentile solo in apparenza.

Arianna: E tu non **te le/te la/te lo** mettere…

Cinzia: Marco dice che almeno una volta quando andiamo a cena da loro devo metter**mela/melo/meli**… Ma lo sai come sono io… Non **me l'/me lo/mi** metterò mai!

2 In questo testo mancano alcuni pronomi. Inseriscili al posto giusto, come nell'esempio. I pronomi sono in ordine.

Regalare una stella

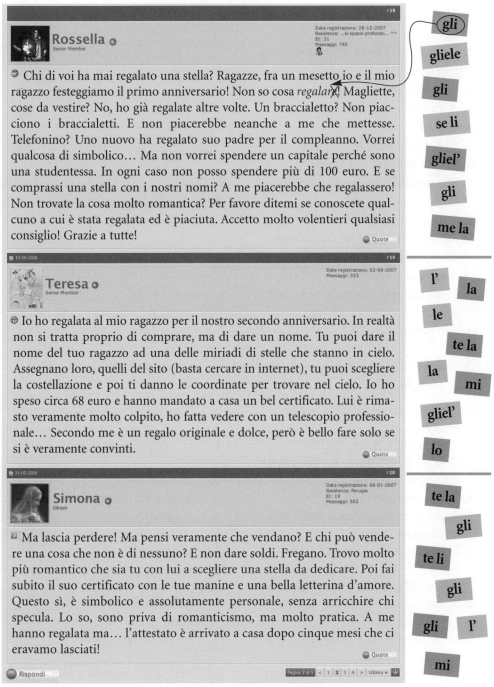

Rossella
Senior Member

Data registrazione: 28-12-2007
Residenza: ...lo spazio profondo... ^^
Et: 31
Messaggi: 745

Chi di voi ha mai regalato una stella? Ragazze, fra un mesetto io e il mio ragazzo festeggiamo il primo anniversario! Non so cosa *regalar*! Magliette, cose da vestire? No, ho già regalate altre volte. Un braccialetto? Non piacciono i braccialetti. E non piacerebbe neanche a me che mettesse. Telefonino? Uno nuovo ha regalato suo padre per il compleanno. Vorrei qualcosa di simbolico… Ma non vorrei spendere un capitale perché sono una studentessa. In ogni caso non posso spendere più di 100 euro. E se comprassi una stella con i nostri nomi? A me piacerebbe che regalassero! Non trovate la cosa molto romantica? Per favore ditemi se conoscete qualcuno a cui è stata regalata ed è piaciuta. Accetto molto volentieri qualsiasi consiglio! Grazie a tutte!

Quote

19-09-2008   #19

Teresa
Senior Member

Data registrazione: 02-08-2007
Messaggi: 333

Io ho regalata al mio ragazzo per il nostro secondo anniversario. In realtà non si tratta proprio di comprare, ma di dare un nome. Tu puoi dare il nome del tuo ragazzo ad una delle miriadi di stelle che stanno in cielo. Assegnano loro, quelli del sito (basta cercare in internet), tu puoi scegliere la costellazione e poi ti danno le coordinate per trovare nel cielo. Io ho speso circa 68 euro e hanno mandato a casa un bel certificato. Lui è rimasto veramente molto colpito, ho fatta vedere con un telescopio professionale… Secondo me è un regalo originale e dolce, però è bello fare solo se si è veramente convinti.

Quote

21-09-2008   #20

Simona
Gilraen

Data registrazione: 06-01-2007
Residenza: Perugia
Et: 19
Messaggi: 502

Ma lascia perdere! Ma pensi veramente che vendano? E chi può vendere una cosa che non è di nessuno? E non dare soldi. Fregano. Trovo molto più romantico che sia tu con lui a scegliere una stella da dedicare. Poi fai subito il suo certificato con le tue manine e una bella letterina d'amore. Questo sì, è simbolico e assolutamente personale, senza arricchire chi specula. Lo so, sono priva di romanticismo, ma molto pratica. A me hanno regalata ma… l'attestato è arrivato a casa dopo cinque mesi che ci eravamo lasciati!

Quote

Rispondi   Pagina 2 di 5 « 1 2 3 4 » Ultimo »

gli
gliele
gli
se li
gliel'
gli
me la

l'   la
le
te la
la   mi
gliel'
lo

te la
gli
te li
gli
gli   l'
mi

da *http://it.answers.yahoo.com*

3 Completa le risposte con il verbo, i pronomi (diretti, indiretti e combinati) e le particelle pronominali *ci* e *ne*, come nell'esempio.

Organizzazione della festa a sorpresa per Carla

1. *Hai ordinato al pasticcere la torta per Carla?*
   - Sì, _gliel' ho ordinata._

2. Quante birre hai ordinato al barista?
   - _____ venti.

3. Chi porta la torta a casa di Giacomo?
   - _____ Valeria.

4. Abbiamo spedito gli inviti a tutti gli amici?
   - Sì, _____.

5. Chi ci deve dare la risposta?
   - _____ ancora Andrea e Leo.

6. Chi ha pensato alla spesa?
   - _____ le ragazze.

7. Hai mandato un messaggio a Luca?
   - Sì, _____ e gli ho scritto che deve comprare lo spumante.

8. E della musica chi si occupa?
   - _____ Ugo, porta lui dei cd.

9. Secondo te, Carla ha capito che stiamo organizzando qualcosa per il suo compleanno?
   - No, non _____, di solito neanche se lo ricorda.

10. Pensi che sarà contenta della nostra idea?
    - Sì, penso che _____.

11. Chi pensa al regalo?
    - _____ la sorella.

4 Completa le frasi con i verbi tra parentesi e i pronomi combinati, come nell'esempio.

1. *Silvia non ha mandato la mail a Francesco...*
2. Rino non si è ancora tagliato i capelli...
3. Claudio ti ha lasciato le chiavi della macchina sul tavolo...
4. Ti ho scritto una poesia!
5. Paolo ha venduto la sua vecchia macchina a Dario...
6. Ti ho spedito un pacco...
7. Mia sorella mi ha prestato le scarpe...
8. Mario mi ha comprato il biglietto per il concerto...
9. Vi ho spiegato la lezione ieri....
10. La prof di matematica ci ha corretto i compiti...
11. Non ho ancora visto il tuo vestito nuovo...

a. ...il postino dovrebbe (*consegnare*) _____ entro un paio di giorni.

b. ...ci penso io a (*portare*) _____.

c. ...(*spiegare*) _____ anche oggi, così non la dimenticate più!

d. ...(*leggere*) _____?

e. ...se vuoi (*spedire*) _gliela spedisco_ io.

f. ...va a finire che (*tagliare*) _____ io.

g. ...(*dare*) _____ ad un prezzo bassissimo.

h. ... che dici, (*mettersi*) _____ stasera?

i. ...ma ancora non (*dare*) _____.

l. ... però si è ammalata e ancora non (*dare*) _____.

m. ...perché non (*provarsi*) _____?

1 Inserisci le parole della lista al posto giusto e ricostruisci le espressioni.
Aiutati con il significato.

storico a pagamento unico alternato in corso

a traffico limitato pubblici elettronico

senso	_____	*strada dove si va solo in una direzione*
zona	_____	*parte della città dove le macchine possono andare solo in alcuni orari*
varco	_____	*punto di controllo con telecamera all'entrata di una zona a traffico limitato*
parcheggio	_____	*posto dove si paga per lasciare la macchina*
lavori	_____	*cantieri per sistemare strade, marciapiedi ecc…*
mezzi	_____	*autobus, metropolitana, treno, taxi, ecc…*
centro	_____	*la parte più antica di una città*
senso	_____	*strada dove si va a turno in una direzione e poi nell'altra*

2 Scegli l'espressione corretta.

Andrea: Sei andato al concerto ieri sera?

Stefano: Macché! Ho cercato di entrare nel **parcheggio a pagamento/centro storico** con la macchina, ma è stata una cattiva idea! Prima di tutto, a via Cavour c'erano dei **centri storici/lavori in corso** e si camminava a **senso alternato/zona a traffico limitato**, così ci ho messo mezz'ora a farla. Poi, mi ero dimenticato che via Dante è **nella zona a traffico limitato/nel senso unico**! Per fortuna quando sono arrivato al **parcheggio a pagamento/varco elettronico** c'era un cartello che diceva che non si poteva entrare, sennò prendevo la multa! Così sono tornato indietro e ho fatto un'altra strada per avvicinarmi almeno un po', ma c'erano dei **sensi unici/varchi elettronici** nuovi e stavo per fare un incidente! Una cosa impossibile! Ho fatto tre volte lo stesso giro, ero in ritardo, volevo parcheggiare e lasciare finalmente la macchina per andare a piedi, ma c'erano solo **parcheggi a pagamento/lavori in corso** e io non avevo monete… Così ho detto: "Basta, torno a casa!"

Andrea: Beh, così imparerai ad usare i **sensi alternati/mezzi pubblici**!

Imperativo diretto e pronomi

1 Completa il testo con l'imperativo diretto (tu) dei verbi, come nell'esempio.

Istruzioni per usare le scale come una palestra

Se quando arrivi in cima alle scale di casa ti senti stanco, *(non preoccuparsi)* *non preoccuparti/non ti preoccupare*, ecco un allenamento che fa per te. Comodo, pratico, devi solo trovare una scala con tanti gradini, per esempio quella del tuo condominio o del palazzo vicino… E se i vicini ti guardano stupiti? Beh, *(non dimenticare)* _____ di fargli un sorriso e di invitarli a farti compagnia…!
Prima *(riscaldarsi)* _____, poi:

Percorso 1 - velocità
(Correre) _____ per 40 scalini, senza saltarne nessuno. *(Non fermarsi)* _____, ma *(scendere)* _____ a ritmo tranquillo ed *(eseguire)* _____ 20 flessioni sulle braccia. *(Ripetere)* _____ la corsa fino all'ultimo scalino eseguendo, dopo ciascuna discesa, 20 addominali, in questo modo: *(sdraiarsi)* _____ per terra, *(piegare)* _____ le gambe, *(mettersi)* _____ le mani dietro il collo e *(tirare)* _____ su la schiena. Poi *(riposarsi)* _____ per cinque minuti.

Percorso 2 - potenza
(Andare) _____ di nuovo su per le scale di corsa, saltando un gradino sì e uno no, dandoti la spinta più in alto che puoi, a ogni passo. *(Ridiscendere)* _____ senza pause e *(fare)* _____ 10 salti. *(Eseguire)* _____ la corsa a salti altre 3 volte, e poi 20 flessioni sulle braccia.
Poi *(fermarsi)* _____ per cinque minuti.

Percorso 3 - forza
(Salire) _____ le scale tre gradini alla volta, come se facessi degli step.
(Non interrompersi) _____ ma *(tornare)* _____ giù un'altra volta tranquillo e fai 30 flessioni sulle braccia.
(Ripetere) _____ tutto per altre tre volte.
Infine *(terminare)* _____ con 20 esercizi per la schiena (sdraiato sulla pancia, *(sollevare)* _____ contemporaneamente braccia e gambe tese).

da *www.menshealth.it*

Gradino/Scalino

2 Completa il testo con l'imperativo diretto (tu) dei verbi, e collega i testi ai disegni. Fai attenzione ai pronomi, come negli esempi.

Istruzioni per non farsi rubare la bicicletta

1. Se hai una bicicletta e vivi in città, sicuramente non dormi tranquillo. A me l'hanno rubata tre volte di seguito! Ma adesso… Ho imparato la lezione e vado in giro con quella che vedete! *(Seguire)* _segui_ anche tu i miei consigli! *(Non usare)* _____ una bicicletta nuova! *(Comprare la bicicletta)* _Comprala_ vecchia e *(mettere la bicicletta)* _____ a posto in modo da poter andare in giro. Ma non *(sistemare la bicicletta)* _____ troppo… Non deve essere troppo interessante per i ladri!

2. Importantissimo: *(fare)* _____ attenzione al faretto! Devi lasciarlo un po' cadente e impolverato. E soprattutto *(levare al faretto)* _____ la lampadina interna e il vetrino, sono sempre le prime vittime!

3. *(Eliminare)* _____ subito il campanello! Meglio ancora: *(staccare al campanello)* _____ solo la parte superiore, sarà un maggiore segno di incuria. Se tu non ti curi della tua bici, non se ne cureranno neanche i ladri.

4. *(Segare)* _____ a metà il cavalletto della bici. Questo scoraggia eventuali clienti che vogliono comprare bici rubate.

5. *(Non trascurare)* _____ la parte posteriore.
   (Piegare) _____ un po' il paraurti, così la bici sembrerà rotta, ma *(stare)* _____ attento… *(Non bloccare)* _____ la ruota!

6. Infine *(aggiungere)* _____ un po' di polvere qua e là, un po' di terra e qualche macchia di vernice bianca sul sellino… e la tua bici è pronta per resistere con te!

da *www.labicicletta.it*

1 ___ - 2 ___ - 3 ___ - 4 ___ - 5 ___ - 6 ___

3 Completa il testo con i verbi della lista all'imperativo diretto (voi). I numeri tra parentesi ti suggeriscono due possibilità: scegli quella corretta per ogni verbo, come nell'esempio. Attenzione: due imperativi devono essere negativi.

utilizzare / scrivere (1 e 8)   *dimenticare / aspettare* (2 e 9)   *essere / intervenire* (3 e 7)

rispondere / commentare (4 e 5)   *segnalare / fare* (6 e 10)

I segreti del buon blogger

Molte persone desiderano aprire un blog perché hanno tante cose da raccontare. Ma esistono moltissimi blog e parecchi muoiono dopo poche settimane. Come fare per tenerne in vita uno? Ecco alcuni "segreti" del buon blogger:

1. _Scrivete_ in una forma letteraria corretta, senza essere troppo colloquiali.
2. _____ che quando si usa internet non si vede con chi si parla, non si sente la sua voce, quindi potreste non capire il suo stato d'animo.
3. _____ solo quando avrete qualcosa di veramente interessante.
4. _____ i post (i messaggi) degli altri.
5. _____ ai commenti degli altri.
6. _____ il riferimento a post o blog altrui.
7. _____ spontanei e non cercate di dimostrare per forza una tesi.
8. _Utilizzate_ gli strumenti comunicativi adatti per diffondere i vostri contenuti.
9. _____ troppo tempo prima di aggiornare il vostro blog.
10. _____ attenzione quando coinvolgete terze persone.   da *www.infocity.go.it*

4 Completa con l'imperativo e i pronomi, anche combinati, come negli esempi.

1. Bere il caffè.   (Voi) _____Bevetelo_____!
2. Non dare il libro a Gianni.   (Tu) ___Non darglielo___! /_Non glielo dare_!
3. Fare la spesa a Carla.   (Noi) _____!
4. Dire i segreti a Marco.   (Voi) _____!
5. Versare l'olio nella bottiglia.   (Noi) _____!
6. Non restituire le penne a Ilaria. (Tu) _____! /_____!
7. Mettere il pane nella busta.   (Voi) _____!
8. Levare il giocattolo a Chiara.   (Tu) _____!
9. Andare al cinema.   (Voi) _____!
10. Tirare il pallone a loro.   (Noi) _____!
11. Prendere due posti per me.   (Tu) _____ due!
12. Dire la verità a me.   (Tu) _____!
13. Fare un dispetto a Federico.   (Noi) _____!
14. Non cucinare le lasagne a me.   (Voi) _____! /_____!
15. Comprare i vestiti a Maria.   (Noi) _____!
16. Lasciare a me una fetta di torta. (Voi) _____ una!
17. Fare un piacere a noi.   (Tu) _____!
18. Accompagnare Letizia dal dottore. (Tu) _____!

Modi di dire • Animali

Lessico

1 Collega le frasi alla definizione, come nell'esempio.

1. *Non preoccuparti se Roberta è in ritardo. Quando guida è una lumaca, credo che in autostrada non abbia mai superato i 110 in tutta la sua vita.*
2. Sai che puoi dire qualsiasi cosa a Tiziana, è **muta come un pesce**.
3. In quel negozio di scarpe lì non ci torno, c'è un commesso maleducato che **prende a pesci in faccia** i clienti.
4. Marta è **la pecora nera** della famiglia.
5. Marcello non vuole andare in rosticceria, dice che **ha una fame da lupo** e preferisce andare al ristorante.

a. è molto affamato
b. sa mantenere i segreti
c. va sempre contro le regole
d. va molto lentamente
e. tratta male

1 _d_ - 2 ___ - 3 ___ - 4 ___ - 5 ___

2 Trova le frasi in cui le espressioni sono usate in modo improprio.

1. essere una lumaca
☐ **a.** Non chiedermi di andare veloce, lo sai che *sono una lumaca*!
☐ **b.** Mario *è una lumaca*: buoni e gentili come lui ce ne sono pochi!
☐ **c.** Sei sempre l'ultimo a finire di mangiare, *sei proprio una lumaca*!

2. essere muto come un pesce
☐ **a.** Non saprai mai se Silvia è fidanzata. Lei non parla mai delle sue cose private, *è muta come un pesce*!
☐ **b.** Questa cosa la racconto solo a te perché so che *sei muto come un pesce*.
☐ **c.** Non mi piace come parla Davide, usa un linguaggio molto volgare: *è muto come un pesce*!

3. prendere a pesci in faccia
☐ **a.** Non andrò più a trovare gli zii perché mi *hanno preso a pesci in faccia*!
☐ **b.** Non mi è piaciuto quel ristorante, ci *hanno preso a pesci in faccia* ed era anche caro!

☐ **c.** Per il viso mi hanno consigliato una crema da *prendere a pesci in faccia*… Buonissima.

4. è la pecora nera
☐ **a.** Ho tutti bravi calciatori, ma Ludovico non sa proprio giocare, *è la pecora nera* della squadra.
☐ **b.** Rita non si sa vestire, si mette delle cose che le stanno malissimo, *è la pecora nera*.
☐ **c.** Tutti i nipoti mi hanno fatto il regalo per il compleanno, tranne Anna che *è la solita pecora nera*!

5. avere una fame da lupo
☐ **a.** Non aspettare noi, comincia pure a mangiare, visto che *hai una fame da lupo*.
☐ **b.** *Ho una fame da lupo*, prendo un pezzo di pane.
☐ **c.** Lino è un esperto di cucina, prepara dei piatti veramente buoni, *ha una fame da lupo*.

1 Completa i paragrafi con i verbi all'imperfetto indicativo. I verbi non sono in ordine. Attenzione: in ogni paragrafo c'è uno spazio in più.

Urbino, la città ideale del Rinascimento

Urbino, capoluogo delle Marche, è ancora oggi una città piena di fascino, ma nel Rinascimento _____ una delle città più belle e più importanti d'Italia. _____ un sovrano illuminato, grande diplomatico, condottiero valoroso e protettore di artisti e letterati. _____ Federico da Montefeltro. Alla sua corte _____ uomini come i pittori Raffaello e Piero della Francesca, o come _____ gli scrittori Baldassarre Castiglione e Pietro Bembo. Ma non _____ difficile incontrare anche poeti, filosofi, matematici e soprattutto architetti.

essere

chiamarsi

vivere

avere

essere

La vita di corte, infatti, _____ nel Palazzo Ducale, una delle massime espressioni dell'architettura rinascimentale, fatto costruire da Federico _____ con i progetti degli architetti più innovatori dell'epoca. Il Palazzo, con la sua particolare forma armoniosa e snella, _____ in modo simbolico le caratteristiche del nuovo Stato rinascimentale, che _____ essere aperto a uomini e a idee.

dovere

rappresentare

svolgersi

Visitando Urbino e entrando nel Palazzo Ducale, è facile immaginare Piero della Francesca che _____ il famoso ritratto di profilo di Federico da Montefeltro, o Baldassarre Castiglione che _____ *Il cortigiano*, il noto libro in cui sono descritte le caratteristiche del perfetto uomo di corte.

Una particolarità: tutta la struttura delle città era concepita pensando al punto di vista di chi _____ da Roma o da Firenze. Per questo il punto migliore per osservare Urbino _____ , ed è ancora, il Colle dei Cappuccini_____ , che si trova ad ovest della città.

arrivare

essere

scrivere

dipingere

da *www.viaggiomania.it*

2 Completa la tabella con i verbi all'imperfetto, come nell'esempio.

	Dare	Dire	Essere	Fare	Bere	Potere	Dormire
lui/lei			*era*				
tu	*davi*						
voi		*dicevate*					
loro						*potevano*	
io					*bevevo*		
noi							*dormivano*

1 Scegli il suffisso corretto per formare il nome, come nell'esempio.

| -*tore* | -iere | -ista | -aio | -ezza | -teca | -eria | -ità |

1. **giocare** -   Da quando è arrivato quel nuovo _*giocatore*_, tutta
la squadra va molto meglio.

2. **profumo** -   Vado un momento in _____ a vedere se
trovo un regalo per Serena.

3. **disco** -   Ragazzi, stasera ci vediamo in _____,
ma non quella in centro, quella sulla via del mare.

4. **largo** -   Devi misurare la _____ del tavolo per
vedere se ci sta in cucina!

5. **professione** -   Stai tranquillo, Stefano è un _____, una
persona seria. Sicuramente farà un buon lavoro.

6. **benzina** -   Sai se c'è un _____ aperto di domenica
da queste parti?

7. **giardino** -   Quando è venuto il _____ gli ho fatto
sistemare le rose.

8. **tranquillo** -   Finalmente con questo nuovo lavoro ho raggiunto una
certa _____.

2 Scegli il suffisso corretto e completa il testo.

3 Trasforma le parole tra parentesi utilizzando i suffissi della lista, come nell'esempio.

| -tore | -iere | -ista | -aio | -ezza | -teca | -eria | -ità |

Bruno: Ieri sono andato a una cena con alcuni miei ex compagni di scuola. Siamo andati in quella *(panino)* ___paninoteca___ dove andavamo una volta. Ti ricordi? In via Da Vinci.

Filippo: E chi c'era?

Bruno: Allora... c'era Leo. L'ho trovato un po' invecchiato, sai? Anche se non se la passa male; lavora in una famosa *(gioiello)* _____ in centro. È stato sempre un gran *(lavoro)* _____, anche troppo.

Filippo: E poi?

Bruno: Ah, poi c'era quel riccone di Federico!

Filippo: Riccone? Federico?! Ma se non aveva mai un soldo...

Bruno: Eh sì, allora... Ma guarda che in realtà era uno di famiglia ricca... Insomma, lui è *(banca)* _____, ha la maggior parte delle azioni della Banca Nazionale del Lavoro.

Filippo: Ma dai! Non lo avrei mai immaginato. E di donne chi c'era?

Bruno: Ah sì, c'era Silvia! Guarda, è ancora di una *(bello)* _____ incredibile! Anzi, direi che l'età l'ha anche migliorata. Le piaceva molto scrivere, si è sempre interessata di attualità ed è riuscita a diventare *(giornale)* _____. E poi c'era Francesca, sono sempre molto amiche. Ma Francesca è cambiata molto. Prima era frizzante, anticonformista... E invece è stata tutta la sera assente, non si è mai rilassata e non ha dato a nessuno la *(possibile)*_____ di parlarle. Deve avere qualche problema.

Filippo: Ah... E, senti, c'era anche Marco?

Bruno: Sì, c'era... È stato simpaticissimo, ci siamo trovati benissimo. Naturalmente fa il *(libro)* _____, nella libreria dei suoi genitori. Ma mi ha detto che l'ha tutta rinnovata e poi ci fa spettacoli, presentazioni, mostre. È diventato molto attivo. Un pomeriggio magari passiamo a trovarlo, che dici?

Filippo: Sì, va bene, facciamo la prossima settimana.

1 Completa il testo con la parola corretta. Poi scrivi i numeri dei paragrafi vicino ai titoli corrispondenti.

Il trekking urbano

migliore	meno	meglio	meno	più

1. Fare trekking in città è un modo nuovo di fare turismo. È _____ libero e ricco di sorprese del turismo tradizionale. Privilegia i panorami e i monumenti _____ conosciuti, i luoghi dove si svolge la vita quotidiana. Il trekking urbano è un turismo sostenibile perché rende _____ affollate le aree monumentali e permette di scoprire aspetti nascosti delle nostre città. Anche per i residenti è un'abitudine che può rendere _____ la qualità della vita: è una pratica salutare ed un modo di riappropriarsi del luogo in cui si abita, conoscendolo _____ ed usandolo per tonificare cuore, cervello e muscoli.

meno	meno	più

2. È per tutti. Può essere _____ intenso e impegnativo se nel percorso si inseriscono scale e irregolarità del suolo, frequenti salite e discese, mentre, con percorsi senza salite e discese, può essere uno sport dolce per i _____ forti e i _____ giovani.

molto	più	meno

3. Si può praticare tutto l'anno, anche in pieno inverno, e a qualunque ora. _____ spesso i percorsi di trekking urbano vengono organizzati anche di notte. È un'attività _____ rischiosa rispetto al trekking praticato nei campi e nei boschi: il trekking in città è _____ sicuro e non è limitato dal buio o dai terreni fangosi.

meno	molto	più

4. Camminare a lungo, in modo sportivo e frequente, rende _____ forti contro la depressione e _____ soggetti ad obesità, diabete e disturbi cardiocircolatori. In generale, aiuta a condurre uno stile di vita sano ed è _____ consigliato per chi ama unire allo sport un interesse culturale.

molto	meno

5. Sessantotto città italiane hanno ideato percorsi di trekking urbano. Non si tratta solo di città del Nord _____ note per l'attenzione all'ambiente come Bolzano e Trento, ma anche, ad esempio, di Salerno, L'Aquila, Matera, capoluoghi di un Sud di solito considerato _____ impegnato nei confronti della vivibilità urbana.

da www.trekkingurbano.it

Titoli

☐ a. Perché praticare il trekking urbano?
☐ b. Quali città partecipano al trekking urbano?
☐ c. Che cos'è il trekking urbano?
☐ d. Quando si pratica il trekking urbano?
☐ e. Chi pratica il trekking urbano?

2 Completa il testo con le espressioni della lista. I numeri tra parentesi ti suggeriscono due possibilità: scegli quella corretta, come nell'esempio. Attenzione: in alcuni casi devi aggiungere *che* o *di*.

molto accogliente / più facile (1 e 13)

molto difficile / migliore (2 e 6)

meno auto / più verde (3 e 10)

più attente / più frequentemente (4 e 11)

molto inquinate / buonissime (5 e 15)

meno stress / vivibilissima (7 e 14)

meno inquinamento / più servizi (8 e 9)

molto elevato / più alto (12 e 16)

In Italia, vivere nelle piccole città è 1. *più facile che* in quelle grandi, e, spesso, al Nord la vita è 2._____ al Sud. Lo dicono le indagini condotte da Legambiente* negli ultimi anni sulle 103 città capoluogo. La ricerca considera, ad esempio, la qualità dell'aria e delle acque, i rifiuti, i consumi di energia, il verde urbano, i servizi pubblici, il benessere economico, lo stress… E dà dell'Italia un quadro abbastanza negativo. Negli ultimi tempi alcuni aspetti sono lievemente migliorati: ci sono 3._____ qualche anno fa e la raccolta differenziata dei rifiuti si fa 4._____ prima, specialmente al Nord. Ma nonostante questo le città sono 5._____ ed è 6._____ eliminare i rifiuti. Sono premiate però alcune piccole e medie città italiane: 7._____, 8._____, mezzi pubblici funzionanti, 9._____, 10._____, amministrazioni pubbliche 11._____ nelle grandi metropoli. Negli ultimi anni al posto 12._____ nella classifica ci sono state Siena, Bolzano e Trieste. In effetti Siena, cittadina di 60.000 abitanti, è 13. *molto accogliente* ed elegante, con il suo aspetto medievale, le piazze e i palazzi ben curati, la campagna toscana intorno… Bolzano, circa 100.000 abitanti, capoluogo dell'Alto Adige, immersa nel verde delle Dolomiti, è città 14._____ sia per la qualità dei servizi che per gli aspetti culturali e sportivi. Trieste ha 200.000 abitanti, è capoluogo del Friuli-Venezia Giulia e, oltre alle bellezze artistiche, ha delle strutture sanitarie 15._____ e un tenore di vita 16._____.

da *www.lanuovaecologia.it*

*Legambiente: la più grande associazione ambientalista in Italia.

3 Completa le frasi con l'espressione corretta e segui la legenda, come negli esempi.

(+) **comparativo di maggioranza**   (-) **comparativo di minoranza**

(■) **superlativo relativo**   (●) **superlativo assoluto**

1. *Nelle grandi città l'aria è (inquinata)*
   ●molto inquinata /●inquinatissima.

2. *Non tutti sanno quale sia il modo (buono)*
   ■ migliore / ■ più buono per organizzare la
   raccolta dei rifiuti.

3. Vivere in una grande città è *(difficile)* +_____ che in una piccola.

4. La città italiana con il numero *(piccolo)* ■_____ / ■_____ di spazi
   verdi è Catanzaro, in Calabria.

5. La verdura surgelata è *(cattiva)* +_____ / +_____ di quella
   fresca.

6. La città *(sicura)* ■_____ d'Italia è Matera, il capoluogo della Basilicata.

7. A Roma ci sono *(poco)* ●_____ piste ciclabili.

8. Un modo *(buono)* ●_____/ ●_____ / ●_____
   per risparmiare energia è installare i pannelli solari.

9. La sera le metropoli sono *(sicure)* -_____ dei paesi.

10. La quantità di verde pubblico è *(grande)* +_____ / +_____ a
    Cagliari che a Verona.

11. La vita è *(cara)* -_____ a Napoli che a Venezia.

12. Al Sud si trova lavoro *(facilmente)* -_____ che al Nord.

Lessico

Modi di dire • Parti del corpo

1 Collega le frasi alla definizione, come nell'esempio.

1. *Questa persona è in gamba, sa sempre come risolvere le situazioni difficili.*

2. Quando Aldo canta al karaoke tutti rimangono a **bocca aperta**.

3. Non ho fatto colazione. È mezzogiorno e ho un **buco allo stomaco**.

4. Questo nuovo direttore **ha polso**: ha già licenziato le persone che non lavorano.

5. Quando gli dico di lavare i piatti lui **alza gli occhi al cielo**.

a. è una persona molto forte e decisa

b. ho molta fame

c. sono sorpresi positivamente

d. si mostra infastidito

e. *è molto brava*

1 _e_ - 2 ___ - 3 ___ - 4 ___ - 5 ___

2 A quali modi di dire dell'esercizio 1 si riferiscono i disegni?

a. _____

b. _____

3 Trova le frasi in cui le espressioni sono usate in modo improprio.

1. essere in gamba

☐ **a.** Sono sicura che riuscirà ad ottenere quel lavoro; *è in gamba*, avrà fatto un'ottima impressione a tutti.

☐ **b.** Francesco *è* proprio *in gamba*, è uscito da quella situazione difficilissima in poco tempo.

☐ **c.** Dario è caduto e si è fatto male al braccio. Ora *è in gamba* all'ospedale.

2. rimanere a bocca aperta

☐ **a.** Ha usato dei colori bellissimi, quando hanno visto il suo disegno, *sono rimasti tutti a bocca aperta*!

☐ **b.** Gianna parla continuamente. *Rimane* sempre *a bocca aperta*.

☐ **c.** Il regalo gli è piaciuto tantissimo, quando lo ha aperto *è rimasto a bocca aperta* perché non se lo aspettava!

3. avere un buco allo stomaco

☐ **a.** *Avevo un buco allo stomaco* e mi sono ricordato che, in effetti, non avevo fatto colazione.

☐ **b.** Se non pranzo, di solito verso le sei *ho un buco allo stomaco* e devo assolutamente mangiare qualcosa.

☐ **c.** Hanno litigato e lui adesso *ha un buco allo stomaco* e un braccio rotto.

4. avere polso

☐ **a.** Tuo figlio *ha polso*: non ho mai visto un bambino di quattro anni che non ha paura delle montagne russe!

☐ **b.** Per risolvere questo problema ci vuole una donna che *abbia polso*, che sappia prendere decisioni difficili.

☐ **c.** Si vede che è un uomo che *ha polso*: ha avuto il coraggio di cambiare molte cose e la situazione è migliorata immediatamente!

5. alzare gli occhi al cielo

☐ **a.** Le sue lezioni sono noiosissime, mentre parla si vedono alcuni studenti *alzare gli occhi al cielo*, altri uscire dall'aula!

☐ **b.** Mentre guardavano la partita *alzavano gli occhi al cielo* quando la loro squadra faceva goal!

☐ **c.** Sua figlia è insopportabile, fa un sacco di capricci e quando la rimproveri lei *alza gli occhi al cielo* e scappa via!

24 Imperativo indiretto e pronomi

Grammatica

1 Completa i consigli del medico con i verbi all'imperativo indiretto e decidi se sono per il mal di pancia *(P)* o per il mal di schiena *(S)* come nell'esempio.

La signora Monti soffre di: (P) dolori alla pancia (gastrite e colite causate da eccesso di ansia e da una dieta sbilanciata); (S) mal di schiena e di testa (causati da posizioni sbagliate della spina dorsale e della bocca).
Ecco i consigli del medico "zen":

	P	S
1. Per combattere lo stress *(praticare)* ___pratichi___ la meditazione e *(dormire)* ___dorma___ molto.	☒	☐
2. *(Regolare)* _____ la dieta e *(diminuire)* _____ i cereali, i grassi e la carne; *(privilegiare)* _____ il riso integrale e il pesce, *(aumentare)* _____ le verdure.	☐	☐
3. *(Cercare)* _____ una scuola di ginnastica posturale e *(fare)* _____ attenzione a come cammina e a come sta seduta. *(Ricordare)* _____ che a volte muoversi in modo innaturale favorisce i dolori.	☐	☐
4. *(Controllare)* _____ i denti, non *(stringere)* _____ i muscoli della bocca e *(mettere)* _____ scarpe comode, non strette.	☐	☐
5. *(Affrontare)* _____ le coliche rilassandosi e *(lasciare)* _____ che le energie si spostino liberamente per non sentire il dolore.	☐	☐
6. Quando non riesce a camminare *(sdraiarsi)* _____, faccia un movimento rallentato con la testa, *(rilassarsi)* _____ e *(addormentarsi)* _____.	☐	☐
7. *(Prendere)* _____ tisane digestive. *(Mangiare)* _____ spesso riso.	☐	☐
8. *(Tenere)* _____ presente che questo male si cura anche con il rilassamento dei muscoli; a volte, per non soffrire più, bisogna cambiare il punto di vista sulla propria vita!	☐	☐

Liberamente adattato da Jacopo Fo, *Guarire ridendo*, Mondadori, 1997

2 Completa il testo con i verbi della lista all'imperativo indiretto. I numeri tra parentesi ti suggeriscono due possibilità: scegli quella corretta per ogni verbo, come nell'esempio.

scegliere / considerare *(1 e 13)*

interrogare / prendere *(2 e 5)*

dire / leggere *(3 e 14)*

domandare / cambiare *(4 e 6)*

ascoltare / evitare *(7 e 8)*

pagare / sentire *(9 e 12)*

scoraggiarsi / chiedere *(10 e 11)*

Vuole comprare una casa in Italia? Ecco alcuni consigli.

- 1._*Scelga*_ il quartiere che Le piace, 2._____ in edicola dei giornali gratuiti di annunci e 3._____ il prezzo delle case nella zona che ha scelto, se è troppo alto 4._____ quartiere.

- Quando telefona per avere informazioni 5._____ il proprietario e 6._____ tutto quello che Le interessa per non perdere tempo.

- 7._____ le agenzie immobiliari: vogliono almeno il 3% e non aiutano!

- Appena entra nel posto da visitare, lo 8._____: le case parlano, 9._____ bene cosa Le dicono, se Lei non è l'inquilino desiderato, la casa Glielo fa capire!

- 10._____ a chi abita in quella casa se è stato felice; le case respirano e assorbono le emozioni, gli stati d'animo, gli umori di chi le abita.

- È passato un anno e ancora non ha trovato la casa per Lei? Non 11._____. In Italia ci si impiegano anche uno o due anni. Se è ospite da amici mentre cerca la sua casa 12._____ l'affitto della stanza in cui dorme, si sentirà meno indesiderato!

- Da quando l'ha trovata 13._*consideri*_ ancora qualche mese per le pratiche burocratiche e lo 14._____ all'amico che La ospita, forse non La vorrà più vedere per i prossimi anni!

da *www.casaclick.it*

3 Trasforma le frasi con l'imperativo indiretto nella seconda colonna; nella terza aggiungi anche i pronomi. Segui gli esempi.

Superstizioni e azioni per allontanare la sfortuna!

Infinito	Imperativo indiretto	Imperativo indiretto con pronome
1. *Non attraversare <u>la strada</u> dopo che è passato un gatto nero.*	*Non attraversi la strada dopo che è passato un gatto nero.*	*Non la attraversi.*
2. Non passare sotto <u>alle scale</u>.		
3. Non mettersi <u>le scarpe</u> al contrario.		
4. Non mangiare <u>a tavola</u> quando si è in tredici.		
5. Non rompere <u>lo specchio</u>.		
6. Non versare <u>l'olio</u> per terra.		
7. Non mettere <u>il viola</u> il primo giorno di uno spettacolo.		
8. Non augurare <u>buona fortuna</u> prima di un esame ma dire " in bocca al lupo".		
9. Non dormire <u>in un letto</u> con i piedi rivolti verso la porta.		
10. Non mettere <u>il cappello sul letto</u>.		

4 Completa la tabella con l'imperativo indiretto e diretto e i pronomi, come negli esempi. Carla ha deciso di dimagrire, ecco le sue abitudini. Completa le colonne con i consigli di un medico e di un'amica.

Abitudini di Carla	Consigli del medico	Consigli di un'amica
Faccio poco sport.	*Ne faccia* di più!	*Fanne* di più!
Mangio tanti dolci.	_____ di meno.	_____ di meno.
Bevo poca acqua.	_____ molta.	_____ molta.
Non mi peso mai.	_____ spesso.	_____ spesso.
Vado in macchina al lavoro.	_____ in bicicletta.	_____ in bicicletta.
Non seguo le diete.	_____.	_____.
Bevo bibite gassate.	_____ per niente.	_____ per niente.
Scelgo biscotti con cioccolato.	_____ senza cioccolato.	_____ senza cioccolato.
Passo il fine settimana senza muovermi.	_____ un po'.	_____ un po'.
Metto lo zucchero nel caffè.	_____.	_____.

Lessico

1 Inserisci le parole della lista al posto giusto e ricostruisci le espressioni. Aiutati con il significato.

| e indietro | per là | e in largo | né meno | sopra | o meno | per giù | e là |

in lungo	_____	*ovunque, da tutte le parti*
avanti	_____	*andata e ritorno da uno stesso posto più volte*
là	_____	*in quel momento*
più	_____	*circa, non precisamente*
sotto	_____	*in disordine*
né più	_____	*esattamente*
qua	_____	*in giro senza una meta precisa*
su	_____	*circa, non precisamente*

2 Completa i dialoghi con le espressioni della lista.

| qua e là | in lungo e in largo | su per giù |

Barbara: Hai trovato il negozio di scarpe di cui ti avevo parlato?

Diana: No, guarda, ho girato tutto il paese _____ ma niente, dove si trova?

Barbara: _____ vicino al cinema. Ma non ricordo il nome della via.

Diana: Beh, senti: sono andata _____ per mille stradine ma non l'ho proprio visto. Mi sa che mi ci devi accompagnare tu!

| né più né meno | avanti e indietro | sottosopra |

Anna: Smettila di fare _____ in cucina mangiando dolci, vai piuttosto a mettere a posto la stanza che è ancora tutta _____, stiamo per uscire!

Giulio: Ma uffa mamma, lo sai che prima di un esame sono nervoso. Poi oggi ho ripassato tutto e mi sembra di saperne _____ di ieri. Come faccio? Non mi ricordo niente!

Anna: Dici sempre così poi vai benissimo!

| più o meno | là per là |

Alice: Allora caro, per oggi per favore compra un po' di frutta, mele, pere, banane…

Bruno: Ma _____ quanta?

Alice: Fai un chilo.

Bruno: No, scusa non ho capito, un chilo di ogni frutto o un chilo in tutto?

Alice: Fai tu, vedi quando sei dal fruttivendolo, _____. Se ci sono delle belle mele puoi prenderne anche di più!

1 Leggi il testo e scegli il verbo corretto.

Una libera pensatrice.

In primavera, quando l'aria **si riscaldava/si è riscaldata** e è **diventata/diventava** piacevole, noi bambini **dovevamo/siamo dovuti** uscire con la governante* e andare ai giardini per giocare. L'unica di cui mi è **rimasto/rimaneva** un ricordo piacevole si **chiamava/si è chiamata** Antonietta ed è **stata/era** una donna piccola, bassa e magra ma molto forte. Non mi **importava/è importato** niente di uscire, io non **avevo/ho avuto** voglia di stare con le altre bambine, e non mi è **piaciuto/piaceva** fare i giochi che **facevano/hanno fatto** loro perché

Rita Levi Montalcini, premio Nobel per la medicina.

non **ho saputo/sapevo** saltare con la corda e non **sapevo/ho saputo** lanciare la palla. Non **sono stata/ero** abile a fare il gioco della settimana.

Le bambine che **hanno giocato/giocavano** al parco **erano/sono state** quasi tutte cattoliche e piemontesi, **chiedevano/hanno chiesto** per prima cosa che lavoro **ha fatto/faceva** mio padre e quale **era/è stata** la mia religione. Mio padre è **stato/era** ingegnere, una professione che **andava/è andata** bene; per la religione invece **ho avuto/avevo** dei problemi perché non eravamo mai andati né alla sinagoga né in chiesa, quindi non **sapevo/ho saputo** cosa rispondere. Un giorno **ho chiesto/chiedevo** informazioni a mamma e lei mi **ha mandato/mandava** da papà; mi ricordo che lui mi **accarezzava/ha accarezzato** i capelli e mi **ha detto/diceva**: "Tu sei una libera pensatrice, a 21 anni deciderai cosa vuoi fare. Ma non ti preoccupare, quando te lo chiedono devi dire che sei una libera pensatrice". Da quel momento **ho sempre fatto/facevo** così suscitando grande perplessità in chi mi **rivolgeva/ha rivolto** la domanda, che non aveva mai sentito parlare di quella religione.

Liberamente adattato da R. Levi Montalcini, *Elogio dell'imperfezione*, Garzanti, 1987

---

*governante: persona che per lavoro si occupa della casa e dei bambini altrui.

2 Completa l'articolo con l'imperfetto o il passato prossimo.

Cicciobello dimenticato

Sembrava il pianto di un bambino, e invece…

Quel pianto di bambino (*essere*) _____ inconfondibile. (*Venire*) _____ dal garage e (*durare*) _____ ormai da ore in modo straziante. Probabilmente (*essere*) _____ un bimbo molto piccolo, a giudicare dal tipo di pianto! Chissà, forse qualcuno lo aveva dimenticato in macchina! Così i vicini di casa (*preoccuparsi*) _____ e (*chiamare*) _____ i vigili del fuoco: "Correte! C'è un bimbo chiuso in un garage e non smette un attimo di piangere!".

La squadra dei vigili del fuoco (*arrivare*) _____ in pochissimi minuti, (*aprire*) _____ il garage e… Cosa (*scoprire*) _____? Sopra uno scaffale, insieme ad altri giocattoli vecchi, (*esserci*) _____ Cicciobello, lo storico bambolotto con cui per tanti anni (*giocare*) _____ centinaia di bambine! Stava lì e non (*smettere*) _____ più di piangere perché (*avere*) _____ bisogno del ciuccio. A questo punto la preoccupazione di tutti (*svanire*) _____ fra le risate generali, un vigile (*mettere*) _____ a Cicciobello il suo ciuccio, il bambolotto (*tornare*) _____ a "dormire" fra gli altri giocattoli e tutti (*riprendere*) _____ le loro occupazioni quotidiane.

da *www.metronews.it*

3 Leggi le frasi e scegli il verbo corretto.

1. Quando ero piccolo non mi **piaceva/è piaciuto** giocare a scacchi perché **perdevo/ho perso** sempre.
2. Quando ero piccolo giocavo a scacchi e vincevo sempre. Un giorno, però, **ho giocato/giocavo** con mio fratello e **ho perso/perdevo** tutte le partite.
3. A sei anni, il primo giorno di scuola, **conoscevo/ho conosciuto** il mio migliore amico.
4. A sei anni **conoscevo/ho conosciuto** tutte le capitali del mondo a memoria perché, quando indovinavo, mio nonno mi dava una caramella.
5. La scorsa settimana ho studiato molto, ero molto stanco e mi sono addormentato tutte le sere sul divano mentre **guardavo/ho guardato** la televisione.
6. Ieri **vedevo/ho visto** alla TV un documentario.
7. Ieri **facevo/ho fatto** un bagno al mare di un'ora e ho nuotato benissimo.
8. Da bambino, mentre **facevo/ho fatto** il bagno al mare, mia mamma stava sulla riva e mi controllava.

4 Completa il testo con l'imperfetto o il passato prossimo dei verbi. Attenzione: i verbi non sono in ordine. Poi indica quale paragrafo della favola illustra il disegno.

essere	potere	vivere	sciogliersi

1. C'era una volta una bambina fatta tutta di burro che _____ con i suoi genitori. _____ molto carina, con la pelle molto chiara e i capelli biondi. Ma non _____ mai stare al sole, perché altrimenti _____…

giocare	sognare	avere	essere	potere	guardare

2. A casa _____ una bellissima camera piena di giochi, ma _____ un po' triste perché non _____ uscire. La bambina di burro _____ dalla finestra i bambini che _____ insieme e _____ di giocare con loro.

scendere	essere	aprire

3. Un giorno la bambina di burro, mentre la mamma _____ fuori casa a fare la spesa, _____ la porta ed _____ di corsa in cortile.

spaventarsi	cominciare	giocare	avere

4. Mentre _____ con gli altri bambini _____ a sciogliersi un po'. I bambini _____, ma poi tutti insieme _____ un'idea!

mettersi	costruire

5. _____ una grande casetta con i rami degli alberi e _____ a giocare con lei all'ombra.

vedere	potere	tornare	dare

6. Quando la mamma della bambina di burro _____, _____ che finalmente sua figlia _____ giocare. Così le _____ il permesso di andare a giocare tutti i giorni con gli altri bambini.

Liberamente adattato da Beatrice Masini,
La bambina di burro, Einaudi Ragazzi, 2006

paragrafo n._____

25 Attrazioni • Lavoro

Lessico

1 Scegli le espressioni appropriate.

■ Sai che finalmente ho trovato lavoro?

● Ah, che bello!

■ Guarda, sono così contento… Ho fatto un corso a **tempo determinato/di formazione/di profitti** l'anno scorso e poi per tanto tempo non ho trovato niente! Ho mandato **il colloquio/il curriculum/il contratto** a decine di società, ma non succedeva niente… Mi chiamavano, facevo **il colloquio/il curriculum/il contratto** e poi tutto finiva lì.

● E poi?

■ Poi la settimana scorsa, mentre stavo ancora a letto, abbastanza depresso, e pensavo che ormai sarei stato in **licenziamento/disoccupato/in periodo di prova** per sempre, mi è arrivata una telefonata da questa società. Il pomeriggio ho fatto gli **straordinari/il periodo di prova/il colloquio** e dopo tre giorni ho firmato la **tredicesima/il contratto/il colloquio**.

● È un contratto **a tempo determinato/di licenziamento/disoccupato**?

■ Beh, sì, certo… E dovrò fare **il licenziamento/il colloquio/il periodo di prova**… ma sono molto ottimista. Pensa, avrò lo stipendio tutti i mesi e prenderò la **tredicesima/il contratto/gli straordinari** a Natale!

● Bene, finalmente! Sono molto contento per te. Io invece ho perso il lavoro!

■ Oh no! E come mai?

● Mah, per vari motivi… Innanzi tutto la mia società ha avuto un calo dei **contratti/degli straordinari/dei profitti**. In più, io non volevo fare il **periodo di prova/gli straordinari/il contratto**, lo sai, sto cercando di laurearmi, devo fare gli esami. In conclusione, un mese fa mi è arrivata la lettera **di formazione/di licenziamento/a tempo determinato**.

■ Mi dispiace tanto. Ma sono sicuro che prima o poi troverai un altro lavoro, magari migliore. Non ti devi abbattere, però.

2 Completa le frasi con le parole opportune e risolvi il cruciverba.

Orizzontali →

1. Prendere una retribuzione in più oltre alle dodici mensilità, durante il periodo delle feste natalizie: *prendere la* _____.
6. Lettera con cui il datore di lavoro manda via il lavoratore: *lettera di* _____.
7. Presentazione scritta con gli studi e i lavori svolti: _____.
10. Periodo, stabilito da un accordo scritto, in cui sia il lavoratore che il datore di lavoro decidono se continueranno il rapporto di lavoro: *periodo di* _____.
11. Essere senza lavoro: *essere* _____.

Verticali ↓

2. Lavoro con durata limitata nel tempo: *lavoro a tempo* _____.
3. Fare ore di lavoro in più: *fare gli* _____.
4. Avere un incontro con chi sceglie il personale da assumere: *fare un* _____.
5. Corso di preparazione per un lavoro: *corso di* _____.
8. Accordo scritto tra un lavoratore e un datore di lavoro: _____.
9. Diminuzione dei guadagni di una società: *calo dei* _____.

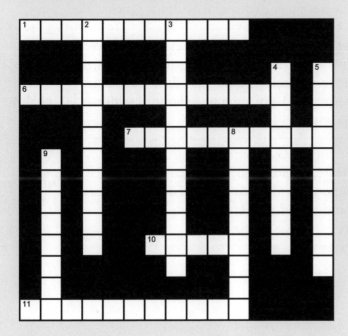

Pronomi, aggettivi e avverbi indefiniti

Grammatica

1 In questo testo mancano alcuni indefiniti. Inseriscili al posto giusto, come nell'esempio. Gli indefiniti sono in ordine. Attenzione: a volte sono possibili più posizioni.

Di cosa parlano gli italiani?

Ricordate gli italiani dipinti in • film come dei grandi chiacchieroni? A quanto pare non abbiamo abbandonato la vecchia caratteristica della chiacchiera facile: a piace ancora "attaccare bottone" e fare amicizia. Ma abbiamo perso la verve e la voglia di approfondire di più la conoscenza. Stando alle ultime statistiche dell'Istituto Riza di Psicosomatica, gli italiani dedicano tempo al "chiacchiericcio", ma non sanno più cosa sia il dialogo.	*alcuni* molti un po' molto
Davanti alla fontana di Trevi, non troverete più il simpatico signore che racconta a la sua vita, ma forse che vi dedicherà appena il tempo di un commento sull'ultimo calciatore famoso. Il vero problema è che si parla di ma non si approfondisce. Gli argomenti più di moda tra gli uomini sono il calcio e lo sport in genere. Seguono (ma solo se c'è lamentela da fare!) il lavoro e le " belle donne", che superano di le auto e i motori; poi la televisione e gli ultimi giochetti tecnologici, come computer e telefonini di ultima generazione.	chiunque qualcuno tutto niente qualche parecchio
Di cosa parla invece l' metà del cielo? Le donne, come insegnano i vecchi luoghi comuni, parlano innanzitutto di shopping, di lavoro, di figli e anche di sesso. Segue la vecchia amica e consigliera di, la televisione, con programmi e personaggi noti. E poi, minuto dedicato ai soldi e una decina ai piaceri della tavola.	altra tutte qualche
Ci sono poi gli argomenti difficili da affrontare, evitati a priori in discussione da italiani: dolore, malattia, morte, temi culturali, sogni e aspirazioni, amore e innamoramento… Se proprio si deve parlare di questi argomenti importanti, si preferisce farlo con le persone più intime o con lo psicologo.	qualsiasi molti

2 Scegli l'indefinito corretto e scrivi il numero delle due risposte vicino alla domanda corrispondente, come nell'esempio.

	Risposta
a. **Qualcuno/Alcuno** ha il coraggio di dire a Luigi che perderà il lavoro?	n. _4_ e n. __
b. **Qualcuno/Qualche** ha visto il ladro?	n. __ e n. __
c. Hai invitato **tutti/alcuni** gli amici alla tua festa?	n. __ e n. __
d. Come è andato lo spettacolo? C'era un **po'/qualcuno** di pubblico?	n. __ e n. __

1. Così così, sono venute **poche/tutte** persone.

2. Sì, **tutti/qualche**, ma **alcuni/tutti** non verranno.

3. Sì, **qualcuno/alcuno** sta cercando di descriverlo.

4. No, ma **qualche/qualcuno** amico lo dovrà fare, prima che lo sappia dal suo capo.

5. No, non li voglio chiamare **tutti/alcuni**, **qualche/alcuni** mi sono antipatici.

6. No, **nessuno/qualcuno** si è accorto di niente.

7. Male, non è venuto **nessuno/tutti**.

8. No, **nessuno/qualcuno**, ma oggi cerco di parlarci io.

3 Completa le frasi con l'indefinito corretto. Le lettere che corrispondono alla risposta corretta formano le parole che completano il proverbio.

1. _____ ragazzi vanno in motorino.   **qualche (P) / alcuni (T)**
2. Non vedo mai _____.   **alcuno (I) / nessuno (U)**
3. _____ viene mai a trovarci.   **nessuno (T) / qualcuno (S)**
4. Ho letto _____ libri interessanti.   **alcuni (T) / qualche (A)**
5. Voglio vedere _____ i film italiani del neorealismo.   **tutti (O) / alcuni (A)**
6. Non c'è _____ problema.   **nessun (È) / alcuno (O)**
7. Ho pagato io per _____.   **nessuno (M) / tutti (B)**
8. Voglio prendermi _____ da bere.   **troppo (A) / qualcosa (E)**
9. _____ volta vado a cena fuori.   **tutte (M) / qualche (N)**
10. _____ cantante ti piace?   **nessun (E) / qualcuno (U)**

Il proverbio è __ __ __ __ __ __ __ __ __ __ QUEL CHE FINISCE BENE!

Lessico

Modi di dire • Oggetti della casa

1 Collega le frasi alla definizione, come nell'esempio.

1. *Angelo è un orologio: non l'ho mai visto una volta arrivare in ritardo.*
2. Quel ragazzo è **di marmo**, forse perché ha sofferto molto.
3. Anna disturba sempre la lezione, chiacchiera, è **una pentola di fagioli che bolle.**
4. Il nuovo maestro di mia figlia è un **armadio**, lei ha un po' paura.
5. Questo spettacolo è un **mattone**. Andiamo via, altrimenti mi addormento.

a. è robusto, alto e grosso

b. è insensibile e freddo

c. *è preciso e puntuale*

d. è molto noioso

e. parla in continuazione

1 _c_ - 2 ___ - 3 ___ - 4 ___ - 5 ___

2 Scrivi accanto ai nomi le espressioni corrette, come nell'esempio.

| è una pentola di fagioli che bolle | è di marmo | è un mattone |

| è un armadio | *è un orologio* |

■ Roberta è stata proprio sfortunata con gli uomini: lei è così carina, simpatica, vivace… eppure ne trova uno peggio dell'altro!

● È vero, ti ricordi Lorenzo, l'avvocato? All'inizio sembrava simpatico, interessante… Invece poi… aveva questa ossessione della puntualità: avevamo tutti paura di uscire con loro perché per pochi minuti di ritardo si innervosiva. E tutta la sua giornata era organizzata minuto per minuto! *Lorenzo ___è un orologio___.*

● Invece Riccardo, all'inizio, mi sembrava perfetto! Molto bello, quegli occhi chiari, un corpo atletico, e poi colto, intelligente. Solo dopo un po' ti accorgevi che era freddissimo, senza emozioni… Non si divertiva mai, non si arrabbiava, sembrava che non gli importasse niente di nessuno. *Riccardo _____.*

■ E ultimamente? Un mese fa l'ho incontrata con un certo Andrea, uno robusto, anche grasso direi, alto, con due spalle enormi, ma simpaticissimo! Sai quelle persone che ti mettono allegria? Magari questa volta funziona! *Andrea _____.*

● Non credo, guarda… L'altra sera alla festa, Roberta è venuta con Davide… Non stava mai zitto, parlava, parlava, con tutti e di qualsiasi cosa, instancabile! *Davide _____.*

■ È vero, mi ero dimenticata! Me lo aveva detto di questo Davide! Pare che abbia scritto anche un libro. Uno di quei romanzi noiosi e lunghissimi che non riesci mai a finire… *Il libro di Davide _____.*

1 Completa il testo con i verbi della lista all'indicativo futuro semplice.

1. essere	2. dire	3. venire	4. andare	5. essere
6. scoprire	7. avere	8. andare	9. chiedere	10. scegliere
11. volere	12. rimanere	13. scoprire	14. essere	15. andare
16. dovere	17. comportarsi	18. mangiare	19. considerare	

Abitudini alimentari del futuro

L e fonti alternative di cibo per l'umanità ¹._____ alghe* e insetti**! Sorpresi? Disgustati? Gli italiani amanti della cucina tradizionale ²._____: "Ma che schifo, blah! No, io mai!". Ma, cari italiani, sapete che quell'involtino di riso col pesce crudo, che mangiate nei ristoranti giapponesi e che pagate un sacco di soldi, è fatto con le alghe? Presto vi ³._____ la voglia di imparare a cucinarlo, ⁴._____ a cena a casa di amici dove ⁵._____ una cosa molto alla moda offrire il sushi.

Presto (voi) ⁶._____ anche che nessun alimento dà agli esseri umani i sali minerali, le proteine, le vitamine e anche i carboidrati che ci sono nelle alghe.

E per gli insetti? Chi ⁷._____ il coraggio di mangiarli? O ancor di più, chi riesce a immaginare che tra un po' noi ⁸._____ al mercato, ⁹._____ e ¹⁰._____ i migliori insetti, e li ¹¹._____ vivi per

essere sicuri che siano freschi? Come facciamo adesso con il pesce, no?

E voi ¹²._____ ancora più sorpresi quando ¹³._____ che gli insetti ¹⁴._____ la nuova frontiera dell'alimentazione spaziale. Nel futuro, quindi, quando (noi) ¹⁵._____ nello spazio in vacanza, ¹⁶._____ imparare a mangiarli. Una domanda mi sorge spontanea: i vegetariani come ¹⁷._____? ¹⁸._____ gli insetti o li ¹⁹._____ animali?

da *www.futurocibo.it*

*alghe: piante che vivono nel mare.
**insetti: specie di animali molto piccoli che volano, ad esempio zanzare e mosche.

2 Completa le frasi con i verbi al futuro semplice. Scrivi il numero delle due domande vicino alla risposta corretta, come nell'esempio.

1. *Cosa farai quando* (scoprire) ___scoprirai___ *che tuo marito ti tradisce con una tua amica?*

2. Cosa farai quando tua suocera ti *(preparare)* _____ gli spaghetti con le vongole, che non ti piacciono?

3. Cosa farai quando *(entrare)* _____ in casa e troverai un disastro perché sono venuti i ladri?

4. Cosa farai quando *(tornare)* _____ e *(vedere)* _____ che il tuo cane ha distrutto il divano nuovo e le poltrone di pelle perché è rimasto un giorno da solo?

5. Cosa farai quando ad una cena importante ti *(offrire)* _____ degli insetti?

6. Cosa farai quando *(accorgersi)* _____ che ti hanno rubato la macchina?

	Risposta
a. *(Arrabbiarsi)* _____ e *(urlare)* _____ moltissimo!	**n.** *1* e **n.** __
b. *(Andare)* _____ alla polizia per denunciare il furto!	**n.** __ e **n.** __
c. Li *(mangiare)* _____ ma non *(chiedere)* _____ il bis.	**n.** __ e **n.** __

3 Completa le frasi con il futuro semplice dei verbi *essere* o *avere*. Poi collega domande e risposte.

1. Che ore sono?
2. Dov'è andato Alessio?
3. Dove sono le chiavi?
4. Come mai ancora non arrivano?
5. Ma non mi avevi detto che tuo nonno era così giovane!
6. Come mai Anna non viene a casa di Franco?

1 ___ - 2 ___ - 3 ___ - 4 ___
- 5 ___ - 6 ___

a. Non ne ho idea, era qui qualche minuto fa, _____ al bar a prendere un caffè.
b. Non ho l'orologio, ma _____ le 5.
c. Veramente _____ più di ottant'anni.
d. _____ sul mobile, le avevo messe lì ieri.
e. Non lo so, forse _____ qualche problema.
f. _____ in macchina nel traffico… come sempre a quest'ora.

Collocazioni • Mettere, prendere, voltare

1 Scrivi le espressioni *evidenziate* accanto al loro significato.

> Caro Giulio,
>
> finalmente ho capito che è ora di **mettere fine** a questa storia che va avanti da dieci anni. Non ci crederai ma questa volta sono pronto a **voltare pagina**. Io e Anna troppe volte ci siamo lasciati e poi di nuovo messi insieme. Troppe volte mi ha giurato e spergiurato che sarebbe cambiata e poi ho scoperto che mi tradiva... Sai com'è Anna: mi tradisce con tutti, con il collega e con il giornalaio, con l'architetto che ha ristrutturato la nostra casa e (l'ho appena scoperto!) con il mio migliore amico. Poi, naturalmente, mi dice che io sono l'unico che ama veramente. Quindi, caro Giulio, tu che sei il mio migliore amico, devi essere il primo a sapere che io e Anna abbiamo deciso di mollare tutto e andarcene per ricominciare e **mettere in piedi** un nuovo rapporto lontano dal mondo, dagli uomini e soprattutto da te. **Prendiamo il volo**, caro amico. Non **metteremo più piede** in questo paese. Siamo pronti a **voltare le spalle** alla nostra vecchia vita. Perciò dimenticati Anna una volta per tutte. Non torneremo mai più.
>
> Riccardo

scomparire _____	terminare _____
ricominciare _____	abbandonare _____
andare, tornare _____	costruire _____

2 Trova le frasi in cui le espressioni sono usate in modo improprio.

1. mettere fine
- ☐ **a.** Quando *metterete fine* a questi continui litigi?
- ☐ **b.** Quando il film *mette fine* ci vediamo fuori per parlarne.
- ☐ **c.** Signori, con quest'ultimo ballo *mettiamo fine* alla serata!

2. voltare pagina
- ☐ **a.** Il libro che mi hai prestato è lunghissimo, non riesco a *voltare pagina*.
- ☐ **b.** Certo, ti è successa una cosa molto dolorosa, ma devi essere capace di *voltare pagina*.
- ☐ **c.** Quando finisce una storia, Paola è pronta a *voltare pagina* senza problemi.

3. mettere in piedi
- ☐ **a.** In questo paese *abbiamo messo in piedi* delle ottime strutture per gli anziani.
- ☐ **b.** Mio figlio e gli amici *hanno messo in piedi* un gruppo e suonano nei locali.
- ☐ **c.** Appena *ho messo in piedi* a casa mi hanno assalito dicendo che avevo fatto troppo tardi!

4. prendere il volo
- ☐ **a.** Con tutte le spese di quest'anno i soldi che avevo risparmiato *hanno preso il volo*.
- ☐ **b.** Proprio in questo momento difficile tutti i suoi amici *hanno preso il volo*.
- ☐ **c.** I vestiti di Filippo sono tutti per terra! *Hanno preso il volo*!

5. mettere piede
- ☐ **a.** Prima d'ora non *avevo* mai *messo piede* in questa città... è bellissima!
- ☐ **b.** Per fare quest'esercizio devi *mettere piede* bene, altrimenti ti puoi fare male.
- ☐ **c.** È la prima volta che *mettiamo piede* a casa tua, non ci inviti mai...

6. voltare le spalle
- ☐ **a.** Ho molti amici che non mi *hanno* mai *voltato le spalle*, neanche nei momenti più difficili.
- ☐ **b.** Il dottore mi dice sempre di *voltare le spalle* dritte quando sto seduto.
- ☐ **c.** Ho bisogno di un po' di soldi, ti prego, non *voltarmi le spalle*, mi devi aiutare.

1 Completa il testo con i verbi della lista al condizionale presente, come nell'esempio. I verbi sono in ordine. Attenzione: c'è uno spazio in più.

sembrare	volere	comprare	volere	essere
volere	piacere	mettere	avere	smettere

I desideri degli italiani

Studi di marketing e sondaggi fanno a gara in questi anni nell'analizzare i desideri degli italiani.

E *sembrerebbero* tutti d'accordo nel concludere che gli italiani non sono molto felici. Un'indagine della Motta, la società che produce gelati, rileva che gli italiani non sognano più in grande, non aspirano a possedere ville da principi o lussuosi yacht, ma _____ più umilmente poter acquistare un piccolo appartamento o fare un normalissimo viaggio. Se potessero, _____ un'auto nuova, e non una Rolls o una Ferrari, ma una semplice utilitaria. Troppe delusioni e desideri _____ non realizzati…

Per questo si torna alle cose essenziali. Oppure, secondo un'altra ricerca, molti italiani _____ mollare tutto e fuggire via, ricominciando una nuova vita in luoghi esotici lontani da traffico e smog. L'ideale _____ un posto in cui mettere orologio, cellulare e pc nel cassetto.

La maggior parte degli italiani _____ fare lo scrittore o l'esploratore, per scappare lontano con la mente o con il corpo. Un sondaggio di questi ultimi giorni parla ancora più chiaro: agli italiani _____ soprattutto avere due o tre ore in più al giorno per se stessi o per stare con le persone care.

Due italiani su tre _____ da parte grandi sogni in cambio di un po' di tempo da dedicare agli affetti e alle piccole cose quotidiane…. Soprattutto chi vive nelle grandi città _____ bisogno di un mondo più lento e _____ volentieri di correre.

da *www.corriere.it*

2 Completa con il condizionale presente.

I bambini vorrebbero…

a. Io *(volere)* _____ essere un cane libero, *(correre)* _____ senza catena e *(vedere)* _____ tutto il mondo.
Nessuno *(venire)* _____ a cercarmi.
Rosa

b. Io *(volere)* _____ essere un leone perché *(essere)* _____ molto forte e *(combattere)* _____ e *(vincere)* _____ contro tutti i cattivi.
Alessandro

c. Io *(volere)* _____ essere una farfalla, così *(avere)* _____ delle ali meravigliose e tutti *(dire)* _____ che sono bella.
Anna

d. Io *(volere)* _____ essere un lupo con i denti a punta, così *(mangiare)* _____ i nemici e loro non mi *(uccidere)* _____.
Giorgio

3 Completa la tabella con il condizionale presente dei verbi.

	Andare	Vivere	Tenere	Rimanere	Cadere	Vedere
lui/lei	andrebbe					
voi			terreste			
io					cadrei	
loro				rimarrebbero		
tu						vedresti
noi		vivremmo				

4 Coniuga 11 verbi al condizionale presente, 3 all'indicativo presente e 2 all'indicativo futuro.

ISTITUTO COMPRENSIVO
Scuole Infanzia, Primarie e Secondarie I grado

| Home | Scuole | POF | Progetti | Risorse | Attività | Territorio |

Home
Struttura organizzativa
Informazioni utili
Guida all'uso del sito
Cerca
Archivio news
Dedicato ai genitori
Dedicato agli alunni
Dedicato agli insegnanti
Dedicato all'ambiente
Bilancio 2007
Scrivi a webmaster
Scrivi a dirigente
Scrivi a Istituto Comprensivo

I ragazzi vorrebbero la patente a 16 anni?

Patente, macchine… magari! Ho solo 14 anni e devo ancora aspettare tanto. In altri paesi, invece, (potere) _____ avere la patente e guidare tra due anni! Ma purtroppo vivo qui e (avere) _____ la macchina solo fra quattro anni… anni d'attesa in cui (soffrire) _____ atrocemente. Quando si aspetta qualcosa che interessa, sembra che il tempo non passi mai. (Volere) _____ che la legge permettesse di guidare a 16 anni anche da noi. Io (pensare) _____ che a 16 anni si è abbastanza maturi e si possono affrontare queste responsabilità. (Essere) _____ così bello portare la macchina a 16 anni: (andare) _____ in giro quando piove, (portare) _____ gli amici, (mettere) _____ lo stereo e (guidare) _____ sentendo la musica. È vero, c'è anche chi usa l'auto per farsi vedere dalle ragazze e per darsi importanza, ma io non sono uno di quelli. In conclusione, io sono sicuro: a 16 anni si (potere) _____ già prendere la patente.

Emanuele

Si può guidare a 16 anni? La mia risposta è "no", anche se mi (piacere) _____… Però penso che (aumentare) _____ tanto il traffico e di conseguenza anche gli incidenti stradali, perché i ragazzi hanno poca pratica e perché sicuramente (fare) _____ le gare e le corse. Molti ragazzi a 16 anni (essere) _____ ancora immaturi… Senza dubbio (essere) _____ una responsabilità troppo grande, sia verso se stessi che verso gli altri.

Fernando

da *www.icao.it*

1 Scegli il suffisso corretto per trasformare le parole tra parentesi e completare il dialogo con i nomi o gli aggettivi, come nell'esempio. Attento al maschile / femminile, singolare / plurale.

| -ario | -ico | *-ata* | -ano | -enza | -oso | -ale | -anza | -ese | -ario |

Margherita: Come va? Che hai fatto ieri?

Stefania: Mah, guarda, ieri abbiamo passato una *(sera)* __serata__ assurda! Siamo uscite con gli studenti del corso di *(Italia)* _____. Io volevo portarli in centro, nel quartiere *(università)* _____, dove conosco due o tre posti carini e *(economia)* _____, ma Patrizia ha insistito per andare in un locale dove lavora un suo amico e dove ieri c'era un gruppo *(musica)* _____ che le piaceva… Insomma, siamo arrivati lì, abbiamo fatto una fatica incredibile per trovare parcheggio, poi abbiamo aspettato perché c'era un sacco di gente in fila, sembra che sia un posto molto alla moda… e alla porta c'era un tipo che ci ha detto che gli uomini potevano entrare solo con la cravatta! Naturalmente nessuno aveva la cravatta! E nonostante la nostra *(insistere)* _____, non c'è stato modo di entrare.

Margherita: E allora cosa avete fatto? E gli studenti?

Stefania: Io ero *(furia)* _____ con Patrizia, comunque gli studenti per fortuna l'hanno presa a ridere… e abbiamo provato a risolvere la situazione. Patrizia aveva due foulard in macchina e Olga, la studentessa *(Svezia)* _____, ne aveva un altro. Così i tre ragazzi se li sono messi al collo come cravatte e abbiamo riprovato a entrare. Ma il buttafuori* non era convinto, forse gli eravamo antipatici, insomma, dovevi vedere con che *(arrogante)* _____ ci ha detto di nuovo di non entrare. A quel punto era diventata soprattutto una questione di principio. Abbiamo fatto chiamare il *(proprietà)* _____ del locale, gli abbiamo detto che portavamo degli studenti stranieri e chissà cosa avrebbero pensato dell'Italia all'estero! Alla fine si è convinto e ci ha fatto entrare! Ma ormai il divertimento era finito… Abbiamo sentito un po' di musica e poi siamo venuti a casa mia a bere qualcosa.

*buttafuori: persona che sta all'ingresso di un locale e seleziona la clientela.

2 Usa i suffissi della lista per formare il nome o l'aggettivo, come nell'esempio. Alcuni suffissi vanno usati due volte. Attenzione al maschile / femminile, singolare / plurale.

-ico	-ata	-ano	-enza	*-ario*	-oso	-ale	-anza	-ese

1. *lampada* - Ho comprato un ___lampadario___ nuovo per il salone. Ti piace?

2. paziente - Signore, per entrare dal medico c'è ancora una mezz'ora da aspettare, deve avere un po' di _____.

3. noia - Non mi va di uscire con i tuoi amici di scuola, parlano sempre delle stesse cose… Sono così _____.

4. panorama - Da qui puoi dare uno sguardo _____ a tutta la città.

5. Francia - Chiara sa parlare bene il _____ perché a scuola ha avuto una brava professoressa.

6. giorno - Oggi è stata proprio una bella _____: mi sono finalmente rilassato e divertito.

7. elegante - Hai fatto bene a comprare i fiori: danno una certa _____ alla stanza.

8. braccio - Questo _____ me l'ha regalato Monica l'anno scorso.

9. mondo - Camilla ama la vita _____: uscire tutte le sere, divertirsi… La chiamano "la regina delle feste".

10. assente - Ieri Luca non è venuto, ma nessuno ha notato la sua _____.

11. nuvola - Il cielo è molto _____, tra poco pioverà.

12. genio - È un artista _____, non finirà mai di sorprendermi.

1 In questo testo mancano 7 *che*. Inseriscili al posto corretto e collega i paragrafi ai disegni corrispondenti.

Nonna Marianna

1. Mia nonna Marianna è nata ad Anguillara Sabazia*. Sapeva tanti racconti di streghe raccontava quando gli uomini se ne andavano via e le donne rimanevano in cucina a lavare i piatti e a preparare la cena. Quelli erano i momenti in cui lei dava il meglio di sé… E c'era sempre qualche donna o ragazzino si metteva ad ascoltare le sue storie…

2. Marianna, allora, attaccava a parlare del nonno (o bisnonno, ma questo non se lo ricordava mai bene) si era svegliato ed era andato nella stalla. Aveva visto un gatto stava facendo le trecce al suo cavallo. Il nonno (o bisnonno) aveva preso un bastone e il gatto si era trasformato in una strega e era volato via.

3. Queste erano le storie a cui noi da bambini credevamo… forse perché Marianna ce le diceva come storie vere e non come fiabe di magia. Anche per questo gli uomini non la stavano a sentire molto. Come si fa a dire che è vera una storia di gatti diventano streghe, di donne volano, di magie fanno venire le trecce ai cavalli?

Liberamente adattato da Ascanio Celestini, *Cecafumo*, Donzelli Editore, 2005

 a

 b

 c

1 ___ - 2 ___ - 3 ___

---

*Anguillara Sabazia: paese nella provincia di Roma.

2 Scegli il pronome corretto. In che regione si trova il paese di cui si parla?
Le lettere che corrispondono alla risposta corretta formano il nome.

1. Triora è un borgo medievale **chi (A)** / **che (L)** si trova in una valle splendida.
2. È un paese **di cui (E)** / **nel quale (I)** c'è stato uno dei più terribili episodi di caccia alle streghe nel 1500.
3. È ancora oggi noto per i processi **che (G)** / **tra cui (B)** hanno scatenato reazioni simili in altri borghi della sua regione.
4. A Triora si verificarono delle strane morti ed epidemie **per le cui (L)** / **per le quali (U)** si diede la colpa a un gruppo di donne.
5. Fu data la colpa a delle donne **che (R)** / **a cui (I)** si riunivano abitualmente la sera per motivi giudicati sospetti.
6. Ancora oggi si può visitare la Capetina, il posto **chi (O)** / **in cui (I)** si incontravano le donne accusate.
7. **I quali (I)** / **Chi (A)** va a Triora può visitare il recente Museo etnografico della stregoneria dove si ricorda il triste episodio del passato.

La regione è la ____ ____ ____ ____ ____ ____ ____.

3 Completa con il pronome relativo corretto. Scegli fra *che, cui, chi.*
Se necessario, inserisci anche la preposizione.

1. Dov'è il negozio _____ mi hai parlato?
2. Non capisco qual è il motivo _____ hai accettato quel lavoro.
3. Questo è un albergo _____ non voglio più tornare.
4. _____ di voi vuole andare in piscina?
5. Qual è l'appartamento _____ avete visitato?
6. Questa è la piazza _____ parte l'autobus.
7. Di solito _____ mangia in quel ristorante esce soddisfatto.
8. Qual è la compagnia aerea _____ sei venuto a Milano?
9. Ecco, sono questi i racconti _____ la giuria deve scegliere per il primo premio.
10. Tutte le persone _____ hanno il telefonino acceso sono pregate di spegnerlo.
11. _____ vince la gara avrà un bel premio.
12. Ho parlato ieri con il ragazzo _____ ho affittato la mia casa.

4 Completa con il pronome relativo corretto e collega le storie ai disegni.

| che | dai quali | che | chi | in cui | che | tra cui |

| di cui | a cui | in cui | che | a cui | che |

Due fiabe italiane

1. Perina è una ragazza povera _____ si innamora il figlio del re. Si chiama Perina perché da piccola il papà l'ha venduta al re insieme alle pere. Cresce nel castello del re e gioca sempre con il principe. Dei servitori invidiosi però, _____ una vecchia in particolare, tramano contro di lei. La vecchia dice al re che Perina sa dov'è il tesoro delle streghe. Il re allora manda via la ragazza e le ordina di tornare con il tesoro. Perina incontra molti pericoli, _____ riesce a salvarsi con l'aiuto di una vecchietta _____ incontra vicino a un albero di pere. Trova anche una cassetta _____ c'è una gallina con tre pulcini d'oro. Con questa cassetta, _____ è il tesoro delle streghe, torna al castello e può finalmente riabbracciare il figlio del re _____ la stava aspettando. Da quel momento Perina e il principe vissero felici e contenti.

2. Una bambina golosa deve portare dei dolci a Zio Lupo, _____ vive nel bosco. Ma la bambina, _____ i dolci piacciono veramente tanto, per la strada se li mangia tutti. E cosa fa? Al posto dei dolci mette la cacca di cavallo _____ trova per terra. Ma Zio Lupo, _____ non si possono fare questi giochetti, capisce l'imbroglio e promette che mangerà la bambina golosa. Al tramonto Zio Lupo va alla casa della bambina, e proprio nel momento _____ la mamma sta chiudendo tutto, lui riesce a passare dal buco del camino e mangia la bambina golosa. Morale della favola: _____ vuole troppo fa una brutta fine!

Liberamente adattato da Italo Calvino, *Fiabe italiane*, Einaudi, 1956

1 ___ - 2 ___

Modi di dire • Cibo

1 Collega le frasi alle definizioni, come nell'esempio.

1. *A Luigi **non gliene importa un fico secco!**
   È inutile che gliene parli.*

2. Parla, parla, e non conclude, come tutti i
   politici, **è tutto fumo e niente arrosto...**

3. Io non ho tanta voglia di vederla, eppure ovunque
   vado la trovo, è proprio **come il prezzemolo!**

4. No, sempre no! Non gli piace niente... è proprio
   una pizza!

5. Quello che dici non c'entra niente col discorso
   che stiamo facendo... **Ci sta come i cavoli a
   merenda!**

a. è una persona noiosa

b. è una cosa sbagliata
   nel posto sbagliato

c. *non gli interessa per
   niente*

d. sta dappertutto

e. sembra bravo e invece
   non vale niente

1 _c_ - 2 ___ - 3 ___ - 4 ___ - 5 ___

2 Completa i dialoghi con le espressioni della lista e mettili in ordine, come negli
esempi.

| è tutto fumo e niente arrosto | è una pizza |

n. ___ *Eva:* Va bene, ma a parte questo compagno, come è l'allenatore?

n. ___ *Luca:* Sì, sì, è proprio così. Ed è anche molto noioso, _____.

n. ___ *Eva:* Ah, ho capito, _____, chiacchiera e non conclude niente!

n. _1_ *Eva:* Allora, come è andato il primo giorno? Come sono i tuoi compagni di
   squadra?

n. ___ *Luca:* Mah... sono quasi tutti simpatici, solo uno non mi piace perché sembra
   sappia fare solo lui canestro, poi lo vedi giocare e non fa mai niente!

n. ___ *Luca:* L'allenatore è molto severo e mi piace proprio per questo.

| non me ne importa un fico secco | sei come i cavoli a merenda |

| sei come il prezzemolo |

n. ___ *Anna:* Ma mi vuoi ascoltare quando parlo? Ti ho detto che non ti voglio più vedere,
   _____, stai sempre in mezzo, non ti sopporto più!

n. ___ *Leo:* No, non me ne accorgo, anzi, prima o poi, tu ti accorgerai che non esistono
   uomini migliori di me!

n. _1_ *Anna:* Se fossi un po' più furbo, capiresti che non è il caso di seguirmi dappertutto,
   soprattutto in occasioni particolari: sto con gli amici del teatro e arrivi tu, prendo
   un tè con le amiche e ci sei tu, vado al funerale di un amico di mio zio e arrivi pure
   lì. Sei fuori luogo, sì, insomma _____, ma non te ne accorgi?

n. ___ *Leo:* Io ti amo e voglio stare con te, _____ di quello che mi dici tu!

Grammatica 1 - Nomi

1. *stazione*, centro, mezzi, piazza, indirizzi, informazioni, piano, biglietti, sportelli, treno, sito.
La stazione è ROMA TERMINI.

2. *città* (S), *città* (P); *binari* (P), *binario* (S); *mezzi* (P), *mezzo* (S); *alberghi* (P), *albergo* (S); *tram* (S/P), *tram* (P/S); *turisti* (P), *turista* (S); *macchinette* (P), *macchinetta* (S); *interno* (S), *interni* (P); *edificio* (S), *edifici* (P); *negozi* (P), *negozio* (S); *orari* (P), *orario* (S); *autobus* (S/P), *autobus* (P/S); *inizio* (S), *inizi* (P); *linee* (P), *linea* (S).

3.

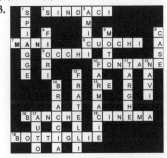

Orizzontali: 2. sindaco; 8. cuoco; 9. occhio; 10. fontana; 15. re; 16. banca; 18. cinema; 19. bottiglia.
Verticali: 1. spiaggia; 3. amico; 4. fiore; 5: moto; 6. casa; 10. farmacia; 11. targa; 12. nave; 13. fratello; 14. braccio; 17. auto.
4. *La città è* NAPOLI.
5. 2. *dolce*; 5. **negozi**; 6. **chiese**; 7. **gelati**; 8. **turisti**; 11. **lago**.

Lessico 1 - Espressioni di routine

1. 1. buon compleanno; 2. In bocca al lupo; 3. buon appetito; Buon viaggio; 5. Congratulazioni; 6. Piacere; 7. Buona giornata; 8. Auguri; 9. Prego; 10. Condoglianze; 11. Che fortuna; 12. Buona serata.
2. *1/b*; 2/f; 3/a; 4/e; 5/d; 6/c.

Grammatica 2 - Articoli

1. *il mare*, l'arte, il sole, i limoni, l'Etna, le arance, il pesce, i dolci, la storia, l'archeologia.
2. *il nuoto*, lo sci, la danza, la palla a volo, il calcio, ~~la ragazza~~: sport; i palazzi, le chiese, le strade, ~~le mani~~, lo/gli stop, i teatri: città; la fattoria, la mucca, la frutta, la pecora, ~~il quaderno~~, il contadino: campagna; l'albero, il fiume, il fiore, la neve, ~~il telefono~~, il prato: montagna; il/la turista, l'agenzia di viaggi, ~~il lavoro~~, l'albergo, il museo, il monumento: vacanze; la sorella, lo sposo, lo zio, la nonna, ~~la stanza~~, il papà: famiglia; la spiaggia, il sole, le onde, la barca, ~~lo zucchero~~, la sabbia: mare; il cane, il gatto, il cavallo, ~~il tavolo~~, il maiale, l'uccello: animali; la sabbia, le/l'oasi, la palma, il caldo, il vento, ~~il medico~~: deserto.
3. delle, un, un, delle, un, degli, delle, degli, degli, degli, un, delle, una, dei, un, dei, dei, un/il.
4. 1. *il/un cane*, i/dei cani; 2. il/un leone, i/dei leoni; 3.

la/una *giraffa*, le/delle *giraffe*; 4. l'/un'*oca*, le/delle *oche*; 5. l'/un *asino*, gli/degli *asini*; 6. il/un *pappagallo*, i/dei *pappagalli*; 7. l'/un *orso*, gli/degli *orsi*; 8. l'/un'*elefantessa*, le/delle *elefantesse*; 9. l'/un *uccello*, gli/degli *uccelli*.
5. uno, una, Gli, un, un, una, una, le, Il, una, un, il, un', I, un, l', un, Il, Il, un, un, gli, una.

Lessico 2 - Modi di dire • Animali

1. 1. *somaro*; 2. cane, gatto; 3. mosca; 4. avvoltoio; 5. pesce; 6. cani; 7. pesce; 8. mosca; 9. volpe; 10. oca.
1/g, 2/f, 3/l, 4/d, 5/b, 6/h, 7/i, 8/a, 9/e, 10/c.
2. 1. sono cane e gatto; 2. sono mosche bianche; 3. è un somaro; 4. è stato una volpe; 5. È stato un avvoltoio; 6. ero un pesce fuor d'acqua; 7. sono sano come un pesce; 8. faccio una vita da cani; 9. non si sente volare una mosca; 10. è un'oca.

Grammatica 3 - Presente dei verbi regolari

1. **nasc**ono, nasc**e**, scriv**ono**, cant**ano**, accad**ono**, divi**dono**, esprim**ono**, sent**ono**, scopr**ono**, serv**ono**, entr**a**, decid**ono**, elabor**ano**, scelg**ono**, mostr**ano**, cont**a**, assi**stiamo**, offr**ono**.

2.

	Leggere	Finire	Parlare	Dormire	Capire	Vendere	Offrire
voi	leggete	finite	parlate	dormite	capite	vendete	offrite
noi	leggiamo	finiamo	parliamo	dormiamo	capiamo	*vendiamo*	offriamo
lui/lei	legge	*finisce*	parla	*dorme*	capisce	vende	offre
tu	leggi	finisci	*parli*	dormi	capisci	vendi	offri
io	*leggo*	finisco	parlo	dormo	*capisco*	vendo	offro
loro	leggono	finiscono	parlano	dormono	capiscono	vendono	*offrono*

3. 1. *sembrano*; 2. scrivono; 3. prendono; 4. Scrivono; 5. rappresentano; 6. nasce; 7. vola; 8. *suonano*; 9. partecipano; 10. colpiscono; 11. pubblicano; 12. tornano; 13. crescono; 14. vincono; 15. vendono; 16. continua.

Lessico 3 - Attrazioni • Natura

1. *mare*: brutto, calmo, grosso, mosso, piatto; *cielo*: nuvoloso, sereno; *tempo*: bello, brutto; *vento*: caldo, forte, leggero; *pioggia*: fitta, forte, leggera, sottile; *neve*: alta, fitta.
2. 1. sottile; 2. forte; 3. brutto; 4. piatto; 5. sereno; 6. grosso; 7. alta; 8. caldo.

Grammatica 4 - Essere, avere, esserci

1. 1. sono; 2. è; 3. Siamo; 4. sei; 5. Sono; 6. Siete; 7. è; 8. sono. *1/f*, 2/e, 3/c, 4/g, 5/d, 6/b, 7/a, 8/h.
2. 1. hanno; 2. hai; 3. ha, 4. abbiamo; 5. avete; 6. Ho; 7. Ho. *La città è* Venezia.
3. è, ha, Ha, è, è, è, ha, sono.
4. è, ci sono, è, è, è, c'è. *GIA-PE-RU è* PERUGIA.
c'è, è, Ci sono, è, è. *RO-VE-NA è* VERONA.

Lessico 4 - Collocazioni • Avere e essere

1. *avere*: fretta, bisogno, paura, fame, sonno, sete.

essere: triste, felice, arrabbiato, stanco.

2. 1. ho fretta; 2. ho bisogno; 3. hanno sonno; 4. sono triste; 5. Avete fame; 6. Ho sete; 7. Sei arrabbiato; 8. ho paura; 9. sono stanco; 10. è felice.

Grammatica 5 - Aggettivi qualificativi

1. 2. *mangione, attenta, costoso, primo, secondo*; 3. *intimi, cinese, prossima, arabo, elegante, comodo, educati*; 4. *numerosa, diverse, uguali*; 5. *tanti, sua, propria, brutte*; 6. *uguali, particolare.*
a/5, b/3, c/2, d/6, e/4, f/1.

2. 1. *veloce*, leggero, breve, fresco, mista; 2. abbondante, saporito, preferiti, piccanti; 3. molta, grande, rossa, fritte; 4. lunga, elaborate, francese, piccola, casereccia, pochi. 1/a, 2/c, 3/d, 4/b.

3. 1. a. grosso, b. integrale, c. svizzero, d. fresca; 2. a. mangiabile, b. biologici, c. felice, d. tradizionale; 3. a. tipici, b. vegetariani, c. selezionati, d. frequentati. Hai una maggioranza di risposte **a**? dolci, soddisfatto, felice.
Hai una maggioranza di risposte **b**? sano, stressanti.
Hai una maggioranza di risposte **c**? calda, allegri.
Hai una maggioranza di risposte **d**? raffinate, piene.

Lessico 5 - Attrazioni • Cibo

1. vino: rosé, maturo, frizzante, forte, rosso, fresco, bianco, leggero; **acqua**: minerale, frizzante, fresca, naturale; **pane**: fresco, integrale; **formaggio**: piccante, fresco, stagionato; **pasta**: fresca, piccante, scotta, integrale; **frutta**: matura, acerba, fresca, di stagione.

2. 1. *bianco,* leggero, naturale, frizzante; 2. integrale, matura, di stagione; 3. scotta, piccanti, acerba.
Il vino è il VERDICCHIO.

Grammatica 6 - Forma di cortesia

1. *A/2, Lei/Lei*; B/3, tu/tu; C/1, tu/tu; D/5, tu/tu; E/6, Lei/Lei; F/4, Lei/tu.

2. *A teatro*: Scusi, dà; *Dal dottore*: fa, arriva, Sa; *Al bar*: sta, Beve, Guardi, ha detto; *Dal dentista*: smette, sta.

3. 1. *Quanti anni hai?*; 2. Da dove vieni?; 3. Di dove è?; 4. Come ti chiami?; 5. Che lavoro fai?; 6. Quali lingue sa parlare?; 7. Senti, scusa, per andare al Colosseo?; 8. Guardi tanta televisione?; 9. Vuoi un caffè?; 10. Le posso offrire un aperitivo? 11. Ti interessi di cinema?; 12. Da quanto tempo si occupa di politica?; 13. Ti piace l'espresso italiano?; 14. Le fa ancora male la testa?; 15. Ti va di andare a teatro?

Lessico 6 - Modi di dire • Parti del corpo

1. 1. ha le mani bucate; 2. ha la testa sulle spalle; 3. ha la testa tra le nuvole; 4. dalla testa ai piedi; 5. sogna ad occhi aperti; 6. a testa; 7. a occhio; 8. a quattr'occhi; 9. ci metto la mano sul fuoco.

2. a. Avere le mani bucate; b. Sognare ad

occhi aperti.

3. 3, 2: ha la testa tra le nuvole, 1, 4: a quattr'occhi; 1, 6: a occhio, 3: dalla testa ai piedi, 2: ci metterei la mano sul fuoco, 4: sognava ad occhi aperti, 5, 7: Ha le mani bucate, 8: ha la testa sulle spalle, a testa.

Grammatica 7 - Aggettivi e pronomi possessivi

1.

maschile		femminile	
singolare	plurale	singolare	plurale
Il maglione che ho comprato ieri. *Il mio maglione*	Gli occhiali che porto. I miei occhiali	La macchina che ho in garage. La mia macchina	Le scarpe rosse che indosso. *Le mie scarpe*
Il pianoforte che suoni. Il tuo pianoforte	I soldi che hai nel portafogli. *I tuoi soldi*	La casa dove abiti. *La tua casa*	Le penne che hai nel cassetto. Le tue penne
Il libro che ha scritto. Il suo libro	I figli che ha con Maria. *I suoi figli*	La torta che ha cucinato. La sua torta	Le collane che le ha regalato il marito. Le sue collane
Il paese dove abitiamo. *Il nostro paese*	Gli amici che abbiamo. I nostri amici	L'opera che abbiamo realizzato. La nostra opera	Le storie che ci riguardano. Le nostre storie
L'albergo che avete prenotato. Il vostro albergo	I mobili che avete in negozio. I vostri mobili	La cucina che avete ordinato. *La vostra cucina*	Le carte che avete portato. *Le vostre carte*
Il conto in banca che hanno aperto. Il loro conto	I giornali che stanno leggendo. I loro giornali	La lingua che parlano. *La loro lingua*	Le piante che hanno a casa. Le loro piante

2. a. *3/6*; b.1/4; c. 2/5. 1. la vostra; 2. la sua; 3. il suo; 4. la sua; 5. la mia; 6. la mia.

3. 1. *Mia/v*; 2. Mio/f; 3. Le mie/f; 4. Le mie/v; 5. I miei/f; 6. Le mie/f; 7. I miei/v; 8. Mia/v; 9. Il mio/v; 10. Mio/v.

4. I miei, mio, la sua, I miei, Mio, sua, Il mio, Il mio, i suoi, Il mio, i miei.

Lessico 7 - Espressioni di routine

1. 8, 6, *1*, 5, 4, 9, 7, 2, 3. **2.** 1. b; 2. a; 3. a; 4. c; 5. c.

Grammatica 8 - Presente dei verbi irregolari e modali

1. a. *mangi*; b. dedichi; c. fai; d. comporti.

2. 1/d: a. affretto, vado; b. dico; c. è, faccio. 2/c: a. Penso; b. organizzo; Bevo, leggo. 3/b: a. rimango, Esco, riesco; b. sono; c. sono. 4/a: rimango; b. Prendo; c. siedo.

3. *Esci*, vai, bevi, fai, scegli, bevi, riescono, ha, danno, possono, siedono, rimangono, bevono, propongono, puoi, è, tengono, riescono, dicono, danno, conoscono, vai, sei, scegli.

4.

	Rimanere	Dire	Dare	Salire	Sedere	Uscire	Tenere	Andare
noi	*rimaniamo*	diciamo	diamo	saliamo	sediamo	usciamo	teniamo	*andiamo*
loro	rimangono	*dicono*	danno	salgono	siedono	escono	tengono	vanno
lui/lei	rimane	dice	dà	sale	siede	*esce*	tiene	va
voi	rimanete	dite	date	*salite*	sedete	uscite	tenete	andate
io	rimango	dico	*do*	salgo	*siedo*	esco	tengo	vado
tu	rimani	dici	dai	sali	siedi	esci	*tieni*	vai

5. 1. *voglio/a* casa; 2. dobbiamo/in palestra; 3. voglio/dallo psicologo; 4. conosciamo/a scuola; 5. sa/a scuola; 6. Conosci/in palestra; 7. posso, devo/a casa; 8. so/dallo psicologo.

6. 1. *sconvolgono*; 2. sanno; 3. guarisce; 4. crea; 5. sono; 6. favoriscono; 7. muoiono; 8. rimangono; 9. dicono; 10. fa; 11. È; 12. riesce; 13. sta; 14. Costituisce; 15. *crescono*; 16. sono.

Lessico 8 - Collocazioni • *Fare* e *dare*
1. *fare*: caso, in tempo, silenzio, centro; *dare*: una mano, il via, vita, modo.

2. 1. dare una mano a; 2. hai fatto centro; 3. danno vita a; 4. ha dato modo; 5. dà il via alla; 6. fare caso; 7. ho fatto in tempo; 8. fate silenzio.

Grammatica 9 - Aggettivi e pronomi dimostrativi
1. questo, quello/quell': scialle, ~~occhio~~, ~~armadio~~, impermeabile; **questo, quel**: maglione, vestito, gilet, cappello, ~~caffè~~, reggiseno, golf, cappotto, ~~libro~~; **questa, quella/quell'**: camicia, maglietta, borsa, cravatta, gonna, sciarpa, ~~scuola~~, ~~onda~~, canottiera, giacca a vento; **questi, quegli**: orecchini, stivali, zaini; **questi, quei**: pantaloni, calzini, gilet, ~~caffè~~, ~~piatti~~, sandali, golf, guanti; **queste, quelle**: scarpe, ciabatte, calze, mutande, ~~pentole~~. SCOPPOLA.

2. 1. *Queste, quelle*; 2. Queste, quelle; 3. Quel, questo; 4. Questa, quella; 5. Quegli, questi; 6. Quelle, queste; 7. Questi, quei; 8. Quei, questi; 9. Questo, quello; 10. Quella, questa.

3. 1. *quella*; 2. quella, Quella; 3. quelle; 4. Queste, quelle; 5. questo; 6. questi, quelli; a. questi; b. *quella*; c. quella; d. questo, quello; e. queste; f. Quella. 1/b, 2/c, 3/f, 4/e, 5/d, 6/a.

Lessico 9 - Contrari
1. 1. *in*esperienza; 2. **in**sufficiente; 3. **im**perfezioni; 4. **dis**occupato; 5. **dis**organizzazione; 6. **im**pazienza; 7. sfavorevole; 8. **dis**ordine; 9. **ir**razionale; 10. **s**gradevoli; 11. sfortunata; 12. **ir**regolari; 13. **dis**onesto.

2. disordine, incompleti, imprecisi, ingestibile, disaccordo, inadatte, inesperte, impossibile, irrespirabile.

Grammatica 10 - Verbi riflessivi e reciproci
1. *mi annoio*, mi rilasso, mi sento, Si svolge, si occupa, si inventa, si intrecciano, si intitola.

2. si vogliono, si innamora, vuole, si rifugia, si chiama, riesce, porta, si commuove, si pente, si diffonde, si ammalano, guariscono, muore, si sposano.
Il libro è I PROMESSI SPOSI.

3. 1. *Mi alzo*; 2. mi preparo; 3. mi sdraio; 4. mi rilasso; 5. mi faccio; 6. mi addormento; 7. mi accorgo; 8. *mi compro*; 9. ci aiutiamo; 10. si esibiscono; 11. mi entusiasmo; 12. mi stupisco; 13. mi prendo; 14. mi meraviglio; 15. Mi permetto; 16. Mi fido; 17. ci capiamo; 18. mi vergogno.

Lessico 10 - Espressioni di routine
1. a: 5, 2, 3, 1, 4; b: 6, 4, 1, 3, 8, 2, 5, 7.

2. 1. vi va; 2. te la senti; 3. ce la faccio; 4. hai cinque minuti;

5. mi attacca il telefono; 6. Che problema c'è; 7. io che c'entro; 8. non me ne importa niente; 9. essere messo in mezzo.

Grammatica 11 - *Stare* + gerundio e *stare per*
1. 1/c: *sta mangiando*, stanno ballando, sta suonando, sta scattando, stanno facendo, sta facendo, sta bevendo, si sta sedendo, stanno arrivando; 2/a: sta fotografando, stanno copiando, sta controllando, si stanno sdraiando, sta camminando; 3/b: Sta ammirando, sta descrivendo, sta guardando, sta dicendo, sta ascoltando.

2. 1. state per assaggiare; 2. sto per uscire; 3. stanno per chiudere; 4. Stiamo per perdere; 5. Stanno per fare; 6. sta per piovere. *Mauro, Valeria e Maria sono andati in vacanza al mare, a Cagliari.*

3. 1. *stanno per prendere*; 2. *stanno suonando*; 3. sta andando; 4. sta per fare; 5. stanno per mettersi/si stanno per mettere; 6. si stanno spalmando; 7. sta per tuffarsi/si sta per tuffare; 8. sta nuotando; 9. sta per preparare; 10. stanno facendo; 11. sta per entrare; 12. sta bevendo.

Lessico 11 - Modi di dire • Cibo
1. 1. *pane*; 2. cavoli; 3. uovo; 4. ricotta; 5. birra; 6. carciofo. 1/f, 2/c, 3/a, 4/d, 5/b, 6/e.

2. a. Avere le mani di ricotta; b. Essere pieno come un uovo; c. Andare a tutta birra.

3. 1. a; 2. c; 3. c; 4. a; 5. b; 6. c.

Grammatica 12 - Passato prossimo
1. a. *Ho/8*; b. ha/4; c. avete/5; d. Siamo/7; e. ho/2; f. sono/1; g. siamo/3; h. siamo/6.

2. 1. si sono svegliati; 2. sono andato; 3. Hai visto; 4. non ci siamo lavati; 5. sono venuti; 6. si sono arrabbiati; 7. mi è piaciuto; 8. Hanno ricevuto.
L'isola è la SARDEGNA.

3. stati, passato, stata, speso, visto, meravigliat**a/o**, piaciuto, andata, trovato, fatto, cercato, passato, abitato, annoiata, trovata, stato, visitata, colpito, restata.

4. siamo partiti, ha cominciato, è diventato, ha detto, abbiamo scelto, è stato, Siamo rimasti, ha preso, ha insegnato, abbiamo mangiato, ha fatto, ha capito, ha scoperto, Siamo arrivati, abbiamo preso, ha spiegato, è entrata, siamo scesi, Siamo arrivati, abbiamo piantato, ha trovato, ha gridato, si è medicato, è tornato, ha cominciato, ha chiesto, si è messo, si è presentato, sono arrivate.

5.

Lessico 12 - Attrazioni • Casa

1. *annunci* immobiliari, *appartamento* a pianoterra, *palazzo* d'epoca, *amministratore* di condominio, *affaccio* nel verde, *proprietario* di casa, *contratto* d'affitto, *spese* escluse.
2. appartamento a piano terra, affaccio nel verde, proprietario di casa, contratto d'affitto, spese escluse, palazzo d'epoca, amministratore di condominio, annunci immobiliari.

Grammatica 13 - Preposizioni semplici

1. 1. a, A, con, a, a, -, per; 2. in, in, a, per, a, -, in; 3. da, di, Per, -, su; 4. con, tra, in, di, -; 5. di, di, -, in, con.
a/4, b/2, c/5, d/1, e/3.
2. a, da, con, per, con, da, a, di, con, di, a, con, su, in, a, tra, in, In, per, di, per, Tra, in, tra.
COMAR LOPO *è* MARCO POLO.

Lessico 13 - Espressioni di routine

1. 6, 8, 3, 5, 4, *1*, 7, 2.
2. 1. Non ne posso più; 2. se fossi in te; 3. mi ha fatto uno squillo; 4. ha fatto il mio nome; 5. è la volta buona; 6. non è finita; 7. non ci crederai; 8. si vedrà; 9. se è il caso; 10. Il fatto è che.

Grammatica 14 - Pronomi diretti

1. a. lo/il vino bianco; b. Lo/il menu; c. *lo/il libro*; d. le/le verdure; e. Li/gli spaghetti; f. le/le uova; g. la/la spesa.
1/c, 2/g, 3/d, 4/e, 5/b, 6/f, 7/a.
2. la, la, le, lo, li. *La bevanda è il* CAFFÈ.
3. *Aldo: Hai cucinato le verdure che ti ho comprato al mercato di Campo de' Fiori?*
Anna: Sì, **le** *ho cucinate.* Ieri ho fatto la pasta con le zucchine e oggi ho fatto la pasta al forno con la mozzarella e le melanzane.
Aldo: E i carciofi?
Anna: **Li** ho fatti alla romana. **Li** ho messi crudi con aglio e prezzemolo in una pentola, **li** ho cucinati per 20 minuti, poi ho aggiunto un po' di sale e **li** ho messi su un piatto con le patate.
Aldo: Le patate? Ma non **le** avevo comprate!
Anna: Sì, ma **le** avevo in casa… sai, quando si cucina conviene sempre aver**le**. **Le** uso con molte altre verdure, stanno bene quasi con tutto! E tu, invece, hai fatto il sugo per la pasta?
Aldo: Sì, l'ho fatto, mi sono anche ricordato di usare il pecorino perché ti piace di più del parmigiano.
Anna: Ah grazie, benissimo, allora stasera invitiamo anche Sandro e mangiamo spaghetti al sugo, carciofi, patate e un po' di formaggio.
Aldo: Ma perché, hai comprato il formaggio?
Anna: No, l'hai comprato tu e l'hai messo, con le verdure, nelle buste della mia spesa. Un regalo, no?
Aldo: Eh, non proprio, veramente non l'avevo comprato per te, l'avevo comprato per Sandro.
Anna: Ah, va bene, grazie lo stesso, allora vorrà dire che

Sandro mangerà qui, a casa mia, il formaggio che avevi comprato tu per lui!
4. 1. *L'ho messa sul frigo*; 2. Le ho messe nel lavello; 3. L'ho messo sul frigo; 4. L'ho messa sul frigo; 5. Li ho messi sul lavello; 6. L'ho messo nella credenza; 7. Li ho messi nella credenza; 8. L'ho messo sulla cappa; 9. L'ho messa nello scolapiatti; 10. Le ho messe sul lavello; 11. Li ho messi nella credenza; 12. Li ho messi nella credenza; 13. Le ho messe nello scolapiatti.

Lessico 14 - Modi di dire • Elementi naturali e mondo

1. 1. *sono in un mare di guai*; 2. è un porto di mare; 3. mandare a monte; 4. è la fine del mondo; 5. vedi che aria tira; 6. Sono al settimo cielo; 7. sta fuori dal mondo; 8. si perde in un bicchier d'acqua; 9. ha messo al mondo; 10. Sono in alto mare.
2. a. perdersi in un bicchier d'acqua; b. essere al settimo cielo; c. essere in un mare di guai; d. mettere al mondo.
3. 1. vedere che aria tira; 2. sono ancora in alto mare; 3. si perde in un bicchier d'acqua; 4. mandare tutto a monte; 5. sia un porto di mare; 6. è la fine del mondo; 7. è in un mare di guai; 8. Siamo al settimo cielo; 9. ha messo al mondo; 10. fuori dal mondo.

Grammatica 15 - Pronomi diretti e indiretti

1.

Pronomi personali soggetto	Pronomi personali complemento oggetto diretto	Pronomi personali complemento oggetto indiretto	Pronomi possessivi
tu (2), io (4), lei (4), io (5), lei (7), io (9), lei (11), lei (13), Lei (22)	la (8), li (10), le (13), mi (14), ti (19), l'(22), l' (22), ti (22), ti (24)	ti (3), le (10), le (11), mi (11), ti (18), ti (18), Le (19), Le (19), mi (20), mi (21), mi (21), ti (22), mi (23), mi (23)	mio (3), suoi (6)

2. ti, mi, mi, mi, ti, mi, ti, ti, le, le, ti, lo, ti, ti, ti.
3. 1. *li/D*; 2. L'/D; 3. gli/I; 4. gli/I; 5. le/I; 6. l'/D; 7. l'/D; 8. gli/I; 9. le/I; 10. le/D; 11. le/I.
4. 2. Ti; 3. ti; 4. Ti; 7. Mi; a. Mi, li; b. L'; c. Mi; d. mi, mi, lo; e. li, mi; f. Li, li; g. gli; h. Mi; i. lo.
1/l, 2/d, 3/a, 4/e, 5/b, 6/f, 7/i, 8/h, 9/g, 10/c.

Lessico 15 - Collocazioni • *Venire* e *dire*

1. **venire**: alle mani, dal nulla, ai fatti, a sapere. **dire**: basta, una cosa per un'altra, in faccia, peste e corna.
2. 1/d, 2/h, 3/a, 4/f, 5/g, 6/c, 7/e, 8/b.
3. 1. viene dal nulla; 2. è venuto/sono venuti alle mani; 3. ho detto basta; 4. dice/ha detto peste e corna; 5. Sono venuto/-a a sapere; 6. vieni ai fatti; 7. hai detto/abbia detto le cose in faccia; 8. dice una cosa per un'altra.
4. *Ma allora che mi devi raccontare di tanto urgente? Guarda, Fabrizio se n'è andato di casa e non ha neanche avuto il coraggio di* dirmi le cose in faccia*! Mi ha scritto una lettera e mi ha lasciato.*

Grammatica 16 - Particelle *ci* e *ne*

1. ne, ci, ci, ci, -, ne, ne, ne.

2. 1. *No,* **ne** *vorrei comprare qualcuno oggi/No, vorrei comprarne qualcuno oggi*; 2. Ci vengo io; 3. Sì, ne posso fare qualcuna io/Sì, posso farne qualcuna io; 4. Adesso sono stanco. Ci vorrei andare più tardi/Adesso sono stanco. Vorrei andarci più tardi; 5. Sì, ne ho comprate una decina.

3. ci, li, Li, ne, lo, ci, gli, lo, ne, ci, le, lo, lo, ne, ne.

4. *Luca: Hai mai visitato le tombe etrusche di Tarquinia?*
Marco: Sì, e **me ne** *ricordo una con un dipinto bellissimo… il dipinto del Cacciatore. Ma è tanto che non* **ci** *vado, vorrei tornarci.*
Luca: Mio padre è un esperto di tombe etrusche, ha aiutato a scoprirne alcune. Lui è di Tarquinia, **ci** *abita da quando era bambino.*
Marco: Ma tuo padre fa l'archeologo?
Luca: No, è solo un appassionato, autodidatta. E poi conosce l'ambiente, sa chi sono i tombaroli, i ladri di tombe, e quando **ne** *hanno preso* **uno** *del posto, uno famoso, lui era lì. I tombaroli hanno fatto molti danni alle tombe…* **Ne** *hanno trovate e saccheggiate parecchie.*
Marco: E chi è che fa il tombarolo? Persone della zona? Gente specializzata?
Luca: Mah, questo per esempio era un contadino. Ha trovato il primo oggetto per caso, lavorando nel suo campo. Allora si è messo a cercare bene e **ci** *ha trovato anche altri oggetti. All'inizio ha trovato solo delle anfore…,* **ne** *ha vendute molte a 500 euro l'una…*
Marco: Ah, un mestiere che rende!
Luca: In un certo senso è affascinante… Pensa che poi ha cominciato a cercare le tombe con ogni mezzo e qualche volta **ne** *ha trovate alcune cercando con il metal detector! Ma adesso per fortuna fare queste cose è più difficile, ci sono molti più controlli.*

Lessico 16 - Modi di dire • Oggetti della casa

1. 1. *Ho*; 2. sono caduti; 3. buttare; 4. vede; 5. tenere; 6. ha; 7. si è arrampicato.
1/c, 2/a, 3/f, 4/g, 5/d, 6/e, 7/b.

2. a. Tenere sotto una campana di vetro; b. Cadere dalla padella alla brace.

3. vedere il bicchiere mezzo pieno, buttare i soldi dalla finestra, ha il chiodo fisso, si arrampica sugli specchi, ho *ancora* tanti sogni nel cassetto, teneva sotto una campana di vetro, ero caduta dalla padella nella brace.

Grammatica 17 - Forma impersonale

1. *I romani: vanno al lavoro tardi*, passano molto tempo a mangiare in compagnia, lavorano poco, sono molto pigri, mangiano alle 8:30 di sera, vanno spesso in trattoria, parlano in modo volgare, scherzano molto. *I milanesi:* sono freddi nei rapporti, sono molto dinamici, pensano sempre agli affari, vanno al lavoro presto, lavorano molto, pensano solo ai soldi, danno molta importanza alla precisione e alla puntualità, mangiano alle 7 di sera.

a Roma	a Milano
si va al lavoro tardi	si è freddi nei rapporti
si passa molto tempo a mangiare in compagnia	si è molto dinamici
si lavora poco	si pensa sempre agli affari
si è molto pigri	si va al lavoro presto
si mangia alle 8:30 di sera	si lavora molto
si va spesso in trattoria	si pensa solo ai soldi
si parla in modo volgare	si dà molta importanza alla precisione e alla puntualità
si scherza molto	si mangia alle 7 di sera

2. si scia, andiamo, Si respira, abbiamo, affittano, potete, sono, dormite, si mangia, si spende, si mangia, dovete.

3. si esce, ci si trova, si torna, ci si ferma, ci si mette, si usa, si deve, si può, si parla, ci si incontra, si spettegola, ci si diverte, si esce, ci si rilassa, si torna.

Lessico 17 - Attrazioni • Aspetto fisico

1. *capelli*: castani, chiari, rossi, corti, lunghi, robusti, neri, biondi; *occhi*: chiari, piccoli, neri, marroni; *carnagione*: chiara, rosea, pallida; *statura*: bassa, alta, media, piccola; *corporatura*: media, piccola, robusta, snella.

2. 1. chiari; 2. lunghi; 3. castani; 4. biondi; 5. alta; 6. robusta; 7. marroni; 8. rosea.

Grammatica 18 - Avverbi e preposizioni improprie

1. 1. *velocemente*, 2. sotto, 3. Dopo, 4. raramente, 5. prima, 6. a lungo, 7. ancora, 8. sempre, 9. intorno, 10. insieme, 11. di solito, 12. A volte, 13. *soprattutto*, 14. spesso, 15. specialmente, 16. lontano.

2. 1. *Francesco si è nascosto* **dietro alla tenda**; 2. I figli di Franca vanno sempre a letto **tardi**, poi la mattina sono stanchi; 3. Quando racconto le storie i bambini ascoltano **attentamente** e poi mi fanno delle domande; 4. I genitori di Marta si alzano (**presto**) la mattina **presto** per andare a lavorare; 5. I nonni di Marco e Valerio sono **molto** generosi con i loro nipoti; 6. A zio Franco piace bere **lentamente** il suo caffè, mentre ascolta le notizie alla radio; 7. Non mangiare troppo **velocemente**, poi ti viene mal di pancia; 8. Se fai i compiti **distrattamente** a casa (**distrattamente**), poi a scuola vai male; 9. Guarda, le caramelle sono **sopra** l'armadio, prendiamole; 10. Prima era più basso, non riusciva a salire sulla sedia, **adesso** è cresciuto e sale da solo; 11. Non posso andare in palestra, ho **poco** tempo; 12. Di solito ad agosto non resto in città, fa **troppo** caldo… Se posso vado in montagna.

3. 1. *freddamente*; 2. lentamente; 3. improvvisamente; 4. tranquillamente; 5. violentemente; 6. frequentemente; 7. difficilmente; 8. faticosamente.

Lessico 18 - Modi di dire • Colori

1. 1. vede tutto nero; 2. è andato in bianco; 3. sono diventato di tutti i colori; 4. sono al verde; 5. mettere nero su bianco; 6. sono o bianche o nere; 7. ha il pollice verde; 8. è diventato verde.

2. frasi errate: 1(giusto: Sono al verde), 4 (giusto: Vedo tutto nero).

3. sei andato in bianco, ha il pollice verde, ero al verde, sono diventato di tutti i colori, è diventata verde, è o bianca o nera.

Grammatica 19 - Preposizioni articolate
1. 1. del, del, nell', dell'; 2. del, nel, alla, alla, delle, sulla, alla; a. del, dell', alla; b. della, degli, alla, della; c. sulla, della; d. allo, delle, alla, al. *Le conseguenze dell'amore*: 1-d-a. *Caos calmo*: 2-c-b.

2. *dalle*, dalla, nei, con il, con le, ai, Dal, sull', del, dall', Negli, al, nel, per il, della, Nel, per la, sull', dal, al, alla, del.

3. 1. dalla; 2. dai; 3. alla, dei; 4. dal; 5. dalle, alle; 6. sul; 7. al; 8. nel; 9. del; 10. dall'; 11. negli; 12. Alla, del; 13. dall'; 14. ai; 15. alla; 16. All', della; 17. nel; 18. alla.

Lessico 19 - Espressioni di routine
1. a. 4, 6; b. 2, 5; c. 1, 3.

2. 1. non mi sembra il caso; 2. ci sono rimasto malissimo; 3. Che ne dici; 4. è tanto che; 5. non si fa vivo; 6. Non vedo l'ora; 7. a dire la verità; 8. mi faccio sentire; 9. Mi ha fatto piacere.

3. Che ne dici *di andare a trovare Giacomo? Mah, no,* non mi sembra il caso, *mi ha appena chiamato e mi ha detto che ha la varicella.*

Grammatica 20 - Pronomi combinati
1. a. telo, me l', se lo, Me l', mela, gliela, L'; b. mi, gliel', me l', te lo, melo, me lo.

2. *Rossella:* Chi di voi ha mai regalato una stella? Ragazze, fra un mesetto io e il mio ragazzo festeggiamo il primo anniversario! Non so cosa regalar**gli**! Magliette, cose da vestire? No, **gliele** ho già regalate altre volte. Un braccialetto? Non **gli** piacciono i braccialetti. E non piacerebbe neanche a me che **se li** mettesse. Telefonino? Uno nuovo **gliel'**ha regalato suo padre per il compleanno. Vorrei qualcosa di simbolico… Ma non vorrei spendere un capitale perché sono una studentessa. In ogni caso non posso spendere più di 100 euro. E se **gli** comprassi una stella con i nostri nomi? A me piacerebbe che **me la** regalassero! Non trovate la cosa molto romantica? Per favore ditemi se conoscete qualcuno a cui è stata regalata ed è piaciuta. Accetto molto volentieri qualsiasi consiglio! Grazie a tutte!
Teresa: Io l'ho regalata al mio ragazzo per il nostro secondo anniversario. In realtà non si tratta proprio di comprar**la**, ma di dar**le** un nome. Tu puoi dare il nome del tuo ragazzo ad una delle miriadi di stelle che stanno in cielo. **Te la** assegnano loro, quelli del sito (basta cercare in internet), tu puoi scegliere la costellazione e poi ti danno le coordinate per trovar**la** nel cielo. Io ho speso circa 68 euro e **mi** hanno mandato a casa un bel certificato. Lui è rimasto veramente molto colpito, **gliel'**ho fatta vedere con un telescopio professionale… Secondo me è un regalo originale e dolce, solo, io credo, è bello far**lo** se si è veramente convinti.

Simona: Ma lascia perdere! Ma pensi veramente che **te la** vendano? E chi può vendere una cosa che non è di nessuno? E non dar**gli** soldi. **Te li** fregano. Trovo molto più romantico che sia tu con lui a scegliere una stella da dedicar**gli**. Poi **gli** fai subito il suo certificato con le tue manine e una bella letterina d'amore. Questo sì, è simbolico e assolutamente personale, senza arricchire chi specula. Lo so, sono priva di romanticismo, ma molto pratica. A me l'hanno regalata ma… l'attestato **mi** è arrivato a casa dopo cinque mesi che ci eravamo lasciati!

3. 1. *gliel'ho ordinata*; 2. gliene ho ordinate; 3. Ce la porta; 4. glieli abbiamo spediti; 5. Ce la devono dare; 6. Ci hanno pensato; 7. glielo/gliel' ho mandato; 8. Se ne occupa; 9. non l'ha capito; 10. lo sarà; 11. ci pensa.

4. 1/e: *gliela spedisco*; 2/f: glieli taglio; 3/b: portartele; 4/d: Te la leggo; 5/g: gliel'ha data; 6/a: consegnartelo; 7/h: me le metto; 8/i: me l'ha dato; 9/c: ve la spiego; 10/l: ce li ha dati; 11/m: te lo provi.

Lessico 20 - Attrazioni • Città
1. *senso* unico, *zona* a traffico limitato, *varco* elettronico, *parcheggio* a pagamento, *lavori* in corso, *mezzi* pubblici, *centro* storico, *senso* alternato.

2. centro storico, lavori in corso, senso alternato, nella zona a traffico limitato, varco elettronico, sensi unici, parcheggi a pagamento, mezzi pubblici.

Grammatica 21 - Imperativo diretto e pronomi
1. *non preoccuparti/non ti preoccupare*, non dimenticare, riscaldati, Corri, Non fermarti/Non ti fermare, scendi, esegui, Ripeti, sdraiati, piega, mettiti, tira, riposati, Vai/Va', Ridiscendi, fai/fa', Esegui, fermati, Sali, Non interromperti/Non ti interrompere, torna, Ripeti, termina, solleva.

2. 1. *Segui*, Non usare, *Comprala*, mettila, sistemarla/la sistemare; 2. fai/fa', levagli; 3. Elimina, staccagli; 4. Sega; 5. Non trascurare, Piega, stai/sta', Non bloccare; 6. aggiungi. 1/c, 2/b, 3/e, 4/a, 5/f, 6/d.

3. 1. *Scrivete*, 2. **Non** dimenticate, 3. Intervenite, 4. Commentate, 5. Rispondete, 6. Segnalate, 7. Siate, 8. *Utilizzate*, 9. **Non** aspettate, 10. Fate.

4. 1. *Bevetelo*; 2. *Non darglielo/Non glielo dare*; 3. Facciamogliela; 4. Diteglieli; 5. Versiamocelo; 6. Non restituirglielo/Non glielo restituire; 7. Mettetecelo; 8. Levaglielo; 9. Andateci; 10. Tiriamoglielo; 11. Prendimene; 12. Dimmela; 13. Facciamoglielo; 14. Non cucinatemele/Non me le cucinate; 15. Compriamoglieli; 16. Lasciatemene; 17. Faccelo; 18. Accompagnacela.

Lessico 21 - Modi di dire • Animali
1. *1/d*, 2/b, 3/e, 4/c, 5/a.

2. 1. b; 2. c; 3. c; 4. b; 5. c.

Grammatica 22 - Imperfetto
1. era, Aveva, Si chiamava, vivevano, -, era, si svolgeva, -, rappresentava, doveva, dipingeva, scriveva, arrivava, era, -.

2.

	Dare	Dire	Essere	Fare	Bere	Potere	Dormire
lui/lei	dava	diceva	*era*	faceva	beveva	poteva	dormiva
tu	*davi*	dicevi	eri	facevi	bevevi	potevi	dormivi
voi	davate	*dicevate*	eravate	facevate	bevevate	potevate	dormivate
loro	davano	dicevano	erano	facevano	bevevano	*potevano*	dormivano
io	davo	dicevo	ero	facevo	*bevevo*	potevo	dormivo
noi	davamo	dicevamo	eravamo	facevamo	bevevamo	potevamo	*dormivamo*

Lessico 22 - Derivazioni

1. 1. *giocatore*; 2. profumeria; 3. discoteca; 4. larghezza; 5. professionista; 6. benzinaio; 7. giardiniere; 8. tranquillità.
2. *Cosa fa vostro padre? Mio papà è* muratore. *Il mio fa il* gelataio. *Il mio è* autista *dell'autobus*.
3. *paninoteca*, gioielleria, lavoratore, banchiere, bellezza, giornalista, possibilità, libraio.

Grammatica 23 - Comparativo e superlativo

1. 1. più, meno, meno, migliore, meglio; 2. più, meno, meno; 3. Molto, meno, più; 4. più, meno, molto; 5. molto, meno. a/4, b/5, c/1, d/3, e/2.
2. 1. *più facile che*, 2. migliore che, 3. meno auto di, 4. più frequentemente di, 5. molto inquinate, 6. molto difficile, 7. meno stress, 8. meno inquinamento, 9. più servizi, 10. più verde, 11. più attente, 12. più alto, 13. *molto accogliente*, 14. vivibilissima, 15. buonissime, 16. molto elevato.
3. 1. *molto inquinata/inquinatissima*; 2. *migliore/più buono*; 3. più difficile; 4. minore/più piccolo; 5. più cattiva/peggiore; 6. più sicura; 7. pochissime; 8. ottimo/molto buono/buonissimo; 9. meno sicure; 10. maggiore/più grande; 11. meno cara; 12. meno facilmente.

Lessico 23 - Modi di dire • Parti del corpo

1. 1/e, 2/c, 3/b, 4/a, 5/d.
2. a. Avere un buco allo stomaco; b. Rimanere a bocca aperta.
3. 1. c; 2. b; 3. c; 4. a; 5. b.

Grammatica 24 - Imperativo indiretto e pronomi

1. 1. *pratichi*, *dorma* (*P*); 2. Regoli, diminuisca, privilegi, aumenti (*P*); 3. Cerchi, faccia, Ricordi (*S*); 4. Controlli, stringa, metta (*S*); 5. Affronti, lasci (*P*); 6. si sdrai, si rilassi, si addormenti (*S*); 7. Prenda, Mangi (*P*); 8. Tenga (*S*).
2. 1. *Scelga*, 2. prenda, 3. legga, 4. cambi, 5. interroghi, 6. domandi, 7. Eviti, 8. ascolti, 9. senta, 10. Chieda, 11. si scoraggi, 12. paghi, 13. *consideri*, 14. dica.
3. 1. *Non attraversi la strada dopo che è passato un gatto nero, Non la attraversi*; 2. Non passi sotto alle scale, Non ci passi; 3. Non si metta le scarpe al contrario, Non se le metta; 4. Non mangi a tavola quando si è in tredici, Non ci mangi; 5. Non rompa lo specchio, Non lo rompa; 6. Non versi l'olio per terra, Non lo versi; 7. Non metta il viola il primo giorno di uno spettacolo, Non lo metta; 8. Non auguri buona fortuna prima di un esame ma dica "in bocca al lupo", Non la auguri; 9. Non dorma in un letto con i piedi rivolti verso la porta, Non ci dorma; 10. Non metta il cappello sul letto, Non ce lo metta.
4. *Ne faccia*, *Fanne*; Ne mangi, Mangiane; Ne beva, Bevine; Si pesi, Pesati; Ci vada, Vacci; Le segua, Seguile; Non ne beva, Non berne/Non ne bere; Li scelga, Scegliili; Si muova, Muoviti; Non ce lo metta, Non mettercelo/Non ce lo mettere.

Lessico 24 - Espressioni di routine

1. in lungo e in largo, avanti e indietro, là per là, più o meno, sottosopra, né più né meno, qua e là, su per giù.
2. in lungo e in largo, Su per giù, qua e là, avanti e indietro, sottosopra, né più né meno, più o meno, là per là.

Grammatica 25 - Passato prossimo/imperfetto

1. si riscaldava, diventava, dovevamo, è rimasto, si chiamava, era, importava, avevo, piaceva, facevano, sapevo, sapevo, ero, giocavano, erano, chiedevano, faceva, era, era, andava, avevo, sapevo, ho chiesto, ha mandato, ha accarezzato, ha detto, ho *sempre* fatto, rivolgeva.
2. era, Veniva, durava, era, si sono preoccupati, hanno chiamato, è arrivata, ha aperto, ha scoperto, c'era, hanno giocato, smetteva, aveva, è svanita, ha messo, è tornato, hanno ripreso.
3. 1. piaceva, perdevo; 2. ho giocato, ho perso; 3. ho conosciuto; 4. conoscevo; 5. guardavo; 6. ho visto; 7. ho fatto; 8. facevo.
4. 1. viveva, Era, poteva, si scioglieva; 2. aveva, era, poteva, guardava, giocavano, sognava; 3. era, ha aperto, è scesa; 4. giocava, ha cominciato, si sono spaventati, hanno avuto; 5. Hanno costruito, si sono messi; 6. è tornata, ha visto, poteva, ha dato. *Paragrafo n. 5*.

Lessico 25 - Attrazioni • Lavoro

1. di formazione, il curriculum, il colloquio, disoccupato, il colloquio, il contratto, a tempo determinato, il periodo di prova, la tredicesima, dei profitti, gli straordinari, di licenziamento.

2.

Grammatica 26 - Pronomi, aggettivi e avverbi indefiniti

1. Ricordate gli italiani dipinti in ***alcuni*** film come dei grandi chiacchieroni? A quanto pare non abbiamo abbandonato la vecchia caratteristica della chiacchiera facile: a **molti** piace ancora "attaccare bottone" e fare amicizia. Ma abbiamo **un po'** perso (**un po'**) la verve e la voglia di approfondire di più la conoscenza. Stando alle ultime statistiche dell'Istituto Riza di Psicosomatica, gli italiani dedicano **molto** tempo al "chiacchiericcio", ma non sanno più cosa sia il dialogo. Davanti alla fontana di Trevi, non troverete più il simpatico signore che racconta a **chiunque** la sua vita, ma forse **qualcuno** che vi dedicherà appena il tempo di un commento sull'ultimo calciatore famoso. Il vero problema è che si parla di **tutto** ma non si approfondisce **niente**. Gli argomenti più di moda tra gli uomini sono il calcio e lo sport in genere. Seguono (ma solo se c'è **qualche** lamentela da fare!) il lavoro e le "belle donne", che superano di **parecchio** le auto e i motori; poi la televisione e gli ultimi giochetti tecnologici, come computer e telefonini di ultima generazione. Di cosa parla invece l'**altra** metà del cielo? Le donne, come insegnano i vecchi luoghi comuni, parlano innanzitutto di shopping, di lavoro, di figli e anche di sesso. Segue la vecchia amica e consigliera di **tutte**, la televisione, con programmi e personaggi noti. E poi, **qualche** minuto dedicato ai soldi e una decina ai piaceri della tavola. Ci sono poi gli argomenti difficili da affrontare, evitati a priori in **qualsiasi** discussione da **molti** italiani: dolore, malattia, morte, temi culturali, sogni e aspirazioni, amore e innamoramento… Se proprio si deve parlare di questi argomenti importanti, si preferisce farlo con le persone più intime o con lo psicologo.

2. a. Qualcuno, 4/8; b. Qualcuno, 3/6; c. tutti, 2/5; d. un po', 1/7.
1. poche; 2. tutti, alcuni; 3. qualcuno; 4. qualche; 5. tutti, alcuni; 6. nessuno; 7. nessuno; 8. nessuno.
3. 1. Alcuni; 2. nessuno; 3. Nessuno; 4. alcuni; 5. tutti; 6. nessun; 7. tutti; 8. qualcosa; 9. Qualche; 10. Nessun.
Il proverbio è: TUTTO È BENE *QUEL CHE FINISCE BENE!*

Lessico 26 - Modi di dire • Oggetti della casa

1. *1/c*, 2/b, 3/e, 4/a, 5/d.
2. è un orologio, è di marmo, è un armadio, è una pentola di fagioli che bolle, è un mattone.

Grammatica 27 - Futuro semplice

1. 1. saranno, 2. diranno, 3. verrà, 4. andrete, 5. sarà, 6. scoprirete, 7. avrà, 8. andremo, 9. chiederemo, 10. sceglieremo, 11. vorremo, 12. rimarrete, 13. scoprirete, 14. saranno, 15. andremo, 16. dovremo, 17. si comporteranno, 18. Mangeranno, 19. considereranno.
2. 1. *scoprirai*; 2. preparerà; 3. entrerai; 4. tornerai, vedrai; 5. offriranno; 6. ti accorgerai.
a. Mi arrabbierò, urlerò, *1*/4; b. Andrò, 3/6; c. mangerò, chiederò, 2/5.
3. a. sarà; b. saranno; c. avrà; d. Saranno; e. avrà/avranno; f. Saranno. 1/b, 2/a, 3/d, 4/f, 5/c, 6/e.

Lessico 27 - Collocazioni • Mettere, prendere, voltare

1. *scomparire*: prendere il volo, *terminare*: mettere fine, *ricominciare*: voltare pagina, *abbandonare*: voltare le spalle, *andare, tornare*: mettere piede, *costruire*: mettere in piedi.
2. 1. b; 2. a; 3. c; 4. c; 5. b; 6. b.

Grammatica 28 - Condizionale presente

1. *sembrerebbero*, vorrebbero, comprerebbero, -, vorrebbero, sarebbe, vorrebbe, piacerebbe, metterebbero, avrebbe, smetterebbe.
2. a. vorrei, correrei, vedrei, verrebbe; b. vorrei, sarei, combatterei, vincerei; c. vorrei, avrei, direbbero; d. vorrei, mangerei, ucciderebbero.
3.

	Andare	Vivere	Tenere	Rimanere	Cadere	Vedere
lui/lei	*andrebbe*	vivrebbe	terrebbe	rimarrebbe	cadrebbe	vedrebb
voi	andreste	vivreste	*terreste*	rimarreste	cadreste	vedreste
io	andrei	vivrei	terrei	rimarrei	*cadrei*	vedrei
loro	andrebbero	vivrebbero	terrebbero	*rimarrebbero*	cadrebbero	vedrebb
tu	andresti	vivresti	terresti	rimarresti	cadresti	*vedresti*
noi	andremmo	*vivremmo*	terremmo	rimarremmo	cadremmo	vedremr

4. potrei, avrò, soffrirò, Vorrei, penso, Sarebbe, andrei, porterei, metterei, guiderei, potrebbe, piacerebbe, aumenterebbe, farebbero, sono, è.

Lessico 28 - Derivazioni

1. *serata*, italiano, universitario, economici, musicale, insistenza, furiosa, svedese, arroganza, proprietario.
2. 1. *lampadario*; 2. pazienza; 3. noiosi; 4. panoramico; 5. francese; 6. giornata; 7. eleganza; 8. bracciale; 9. mondana; 10. assenza, 11. nuvoloso; 12. geniale.

Grammatica 29 - Pronomi relativi: *che, cui, il quale, chi*

1. 1. Mia nonna Marianna è nata ad Anguillara Sabazia. Sapeva tanti racconti di streghe **che** raccontava quando gli uomini se ne andavano via e le donne rimanevano in cucina a lavare i piatti e a preparare la cena. Quelli erano i momenti in cui lei dava il meglio di sé… E c'era sempre qualche donna o ragazzino **che** si metteva ad ascoltare le sue storie… 2. Marianna, allora, attaccava a parlare del nonno (o bisnonno, ma questo non se lo ricordava mai bene) **che** si era svegliato ed era andato nella stalla. Aveva visto un gatto **che** stava facendo le trecce al suo cavallo. Il nonno (o bisnonno) aveva preso un bastone e il gatto si era trasformato in una strega e era volato via. 3. Queste erano le storie a cui noi da bambini credevamo… forse perché Marianna ce le diceva come storie vere e non come fiabe di magia. Anche per questo gli uomini non stavano a sentire molto. Come si fa a dire che è vera una storia di gatti **che** diventano streghe, di donne **che** volano, di magie **che** fanno venire le trecce ai cavalli? 1/c, 2/a, 3/b.
2. 1. che; 2. nel quale; 3. che; 4. per le quali; 5. che; 6. in cui; 7. Chi. *La regione è la* LIGURIA.
3. 1. di cui; 2. per cui; 3. in cui; 4. Chi; 5. che; 6. da cui; 7. chi; 8. con cui; 9. tra cui; 10. che; 11. Chi; 12. a cui.
4. 1. di cui, tra cui, dai quali, che, in cui, che, che; 2. che, a cui, che, a cui, in cui, chi. 1/b, 2/a.

Lessico 29 - Modi di dire • Cibo

1. *1/c*, 2/e, 3/d, 4/a, 5/b.
2. 5, 4: è una pizza, 3: è tutto fumo e niente arrosto, *1*, 2, 6; 3: sei come il prezzemolo, 2, *1*: sei come i cavoli a merenda, 4: non me ne importa un fico secco.